Jessica Verdi

moje życie od teraz

Jessica Verdi

moje życie od teraz

Tytuł oryginału: ***My Life After Now***
Tłumaczenie: **Anna Szczepańska**, Roboto Translation
Redakcja i korekta: **Anita Widman-Drzewiecka**, Roboto Translation
Projekt okładki: **Krzysztof Kiełbasiński**
Skład: **Jacek Goliatowski**, Roboto Translation

Wydanie I
Warszawa 2013

Grupa Wydawnicza Foksal sp. z o.o.
ul. Foksal 17, 00-372 Warszawa
tel. 22 826 08 82, faks 22 380 18 01
e-mail: biuro@gwfoksal.pl
www.gwfoksal.pl

ISBN: 978-83-280-0742-0

Druk i oprawa: Interdruk, Warszawa

Spis treści

Spoglądając w przeszłość 9
Zapomnij o nim 17
Życie jest snem wariata 27
Balujemy! 35
Gdyby mnie widzieli... 39
Głowa do góry 43
Coś cudownego 49
W oczach dziecka 57
Urwany film 61
Pomyśleć o sobie 67
Poznać prawdę 77
W nieswoim ciele 83
Zderzenie z rzeczywistością 91
W imię miłości 95
Inny świat 99
Nic wam do tego 109
O rok starsza 121
Nigdy nie będziesz sama 125
Niedziela 131

Tylko ten jeden wieczór 137
To świt, to zmrok 143
Zdeptać i pognębić 153
Smak życia 161
Krocząc w cieniu 171
Kapka szczęścia 177
Rzecz nabyta 185
Głośniej niż krzyk 197
Może tym razem 203
Cienka granica 209
Miecz Damoklesa 215
Pomyśl o mnie 219
Nie płacz po mnie, Argentyno 225
Szczęście 233
Houston, mamy problem 239
Tonący brzytwy się chwyta 247
Przedstawienie czas zacząć 253
Dzień po dniu 261

Podziękowania 269
O Autorce 271

Nie znam krzywd gorszych od tej zarazy,
co we wszystkich swoich przebraniach
wciela się w każdego z nas i niestrudzenie
o każdym z nas rozprawia.

Larry Kramer, autor sztuki *Zwykłe serce*

Spoglądając w przeszłość

Salę koła teatralnego wypełniał powakacyjny gwar, ale ja niewzruszona siedziałam z nosem w tekście *Romea i Julii*. Przesłuchanie miało się odbyć już dziś po południu, lecz przecież przygotowań nigdy dość.

Zamknęłam tekst i zaczęłam powtarzać monolog z pamięci: *Romeo! Czemuż ty jesteś Romeo?*[1] — szeptałam do siebie, a moje długie włosy jak kurtyna opadały mi na twarz. Tak się wciągnęłam, że doszłam aż do:

...choćby tylko ręką,
Ramieniem, twarzą, zgoła jakąkolwiek
Częścią człowieka?...

Dopiero wtedy zorientowałam się, że zaczęłam deklamować na głos. Zachichotałam nerwowo i zawstydzona rozejrzałam się wokół. Jedyną osobą, która zdawała się zwracać na mnie uwagę, był Ty. Mój przystojny i jednocześnie niezmiernie utalentowany chłopak.

— Którą część człowieka masz na myśli, moja droga Julio? — zapytał przekornie, unosząc brew.

— Uszy, rzecz jasna — odpowiedziałam niewinnie.

---

[1] Wszystkie cytaty z *Romea i Julii* Williama Szekspira (poza cytatem z prologu) w przekładzie Józefa Paszkowskiego (przyp. tłum.).

Roześmiał się i otoczył mnie ramieniem. Przytuliłam się do niego na chwilę, po czym szybko wróciłam do tekstu.

Ty należał do starszego rocznika, był przewodniczącym koła teatralnego, a jednocześnie jednym z niewielu facetów hetero w jego szeregach. Przez ostatnie trzy lata grał główne role męskie we wszystkich sztukach wystawianych przez koło teatralne Eleanor Drama, a od półtora roku odgrywał główną rolę także w moim życiu. Wspólnie stawialiśmy swoje absolutnie pierwsze kroki w niemal wszystkich aspektach „bycia razem". Ty był pierwszym chłopakiem, z którym się całowałam poza sceną.

Andre, nasz reżyser, poprosił wszystkich o uwagę.

— Witajcie, moi wspaniali aktorzy! — powiedział, klaszcząc z autentycznym przejęciem.

Andre spędził, jak zwykł mawiać, „swój seksowny czas", czyli lata osiemdziesiąte, na scenie nowojorskiej. Przez pięć lat występował w ośmiu przedstawieniach tygodniowo. Wkładał legendarny już kombinezon, a twarz malował w drapieżne pręgi do *Kotów*. Jednak dopiero po piątym występie w chórze do nieszczęsnej *Carrie* postanowił zrezygnować z aktorstwa na rzecz reżyserii.

— Tyle nowych twarzy, tyle nowych talentów — powiedział, kiwając głową z zadowoleniem. — Witajcie w Eleanor Drama!

Rozejrzałam się po sali. Andre miał rację - w tym roku rzeczywiście było wiele nowych osób. Każdy, kto ostatnio śledził wiadomości lokalne w telewizji czy w gazetach, dobrze wiedział dlaczego.

Powód tej sytuacji leżał trzy miasteczka od mojego rodzinnego Eleanor Falls. To właśnie tam jakiś skretyniały dziewiętnastolatek, który kiblował kolejny rok, stwierdził, że wszyscy będą mieli niezły ubaw, jeśli w sali gimnastycznej swojej szkoły podłoży bombę własnej roboty. Wybuchła o trzeciej nad ranem w środku sierpnia, więc nikomu nic się nie stało, co nie zmieniało faktu, że szkoła średnia Bryce została zamknięta. Administracja nieźle musiała się napocić, żeby przed rozpoczęciem roku szkolnego rozmieścić w innych placówkach swoich uczniów. Sportowcy poszli do szkół z najlepszymi programami sportowymi, miłośnicy nauk ścisłych – do szkół z najlepszymi laboratoriami, a dzieciaki ze smykałką do aktorstwa i muzyki przyszły do nas. Do szkoły średniej Eleanor.

Nasza szkoła znana była ze sztuk widowiskowych na całym południu stanu Nowy Jork. Jej supernowoczesna scena teatralna często była porównywana z Broadwayem, a w ciągu ostatnich dwunastu lat aż piętnastu absolwentów naszego programu dramatycznego dostało się do Julliard[2].

Jedyny problem polegał na tym, że wśród nowych uczniów była ta koszmarna Elyse St. James. Najbardziej obmierzłe, odpychające i wstrętne wcielenie…

— Lucy... — Andre wytrącił mnie z zamyślenia.

Każdy opowiadał kilka słów o sobie i teraz była moja kolej.

— Cześć wszystkim — przywitałam się. — Jestem Lucy Moore, mam szesnaście lat, a moim ulubionym musicalem jest *Rent*[3].

Moi najlepsi przyjaciele, Courtney i Max, stwierdzili, że ich ulubionymi sztukami są odpowiednio: *Pigmalion*[4] i *The Rocky Horror Show*[5], co mówi właściwie wszystko o tej dwójce. Ty wskazał na *Dwunastu gniewnych ludzi*[6]. Poza pięcioma nowymi osobami z Bryce doszło także trzech pierwszoroczniaków, którym

[2] Julliard School – renomowana wyższa uczelnia muzyczna i artystyczna w Nowym Jorku (przyp. tłum.).

[3] *Rent* – musical z lat 90. XX wieku z muzyką i librettem J. Larsona opowiadający o życiu ubogich artystów w Nowym Jorku i poruszający m.in. kwestie narkomanii, homoseksualizmu i transseksualizmu (przyp. tłum.).

[4] *Pigmalion. Romans w pięciu aktach* – dramat G. B. Shawa poruszający kwestię klasowości brytyjskiego społeczeństwa (przyp. tłum.).

[5] *The Rocky Horror Show* – musical z lat 70. XX wieku z muzyką i librettem R. O'Briena stanowiący humorystyczną interpretację filmów science fiction i horrorów klasy B z lat 40. aż po lata 70. XX wieku (przyp. tłum.).

[6] *Dwunastu gniewnych ludzi* – dramat R. Rose'a z lat 50. XX wieku opowiadający o 12-osobowej ławie przysięgłych obradujących po procesie młodego chłopaka oskarżonego o zabójstwo (przyp. tłum.).

jakimś cudem udało się przejść przez gęste sito przesłuchań Andre, oraz Evan ze starszego rocznika, który właśnie przeprowadził się z Kalifornii.

I wtedy nadeszła *jej* kolej. Od piątej klasy Elyse i ja rywalizowałyśmy ze sobą o główne role żeńskie w każdym przedstawieniu letniej szkoły aktorskiej Stagedoor Manor. Elyse należała do tych musicalowych księżniczek, które na castingi w mieście przychodzą z wałkami we włosach i w kompletnym stroju do tańca, nawet jeśli na danym przesłuchaniu umiejętności taneczne nie są wymagane.

Och, zapomniałabym dodać - tak naprawdę nie nazywała się Elyse St. James. Właściwie to już teraz tak, ponieważ oficjalnie zmieniła swoje imię i nazwisko, ale kiedy poznałam „Elyse", nazywała się Ambrozja Schmidt. Tak. Całkiem serio.

I na koniec powiedzmy to sobie szczerze - nie tylko dane osobowe sobie „podrasowała".

— Cześć, jestem Elyse St. James — zaszczebiotała. — I *strasznie* się cieszę, że zaczynam naukę w Eleanor. Zawsze chciałam uczyć się w klasie teatralnej — tu jej wściekle różowe usteczka posłały Andre lizusowski uśmiech. — Och, a moją ukochaną sztuką — dodała i popatrzyła prosto na mnie — jest *Romeo i Julia.* Nie mogę się doczekać dzisiejszego przesłuchania!

— Cóż, Elyse. Będziesz świetna w roli niańki Julii — odpowiedziałam słodko.

Idealnie obrysowane oczka Elyse posłały mi zabójcze spojrzenie.

— Igrzyska czas zacząć — wymamrotał Max.

Dwa dni później ogłoszono obsadę:

Romeo: Ty Parker
Julia: Elyse St. James
Niańka Julii: Kelly Ortiz
Kapulet: Max Perry
Pani Kapulet: Courtney Choi

Monteki: Christopher Mendoza
Pani Monteki: Bianca Elizabeth Glover
Merkucjo: Lucy Moore
Tybalt: Evan Davis
Benwolio: Nathan Pittman-Briggs
Książę Eskalus: Isaac Stein
Hrabia Parys: Dominick Ellison
Ojciec Laurenty: Violet Patel
Inni (spośród których wyłoniony zostanie **Chór** oraz obsadzone zostaną m.in. role **Piotra, Samsona, Petruccia, Grzegorza, Abrahama, Baltazara, Brata Jana** oraz **Aptekarza**): Jonathan Poole, Andrea Wong, Stephanie Gilmore, Marti Espinoza, Stephen Larson

Myślałam, że mam jakieś zwidy.

Zamknęłam oczy, przetarłam je i znowu otworzyłam. A jednak nie, obsada się nie zmieniła.

Ale przecież ta rola była *moja*! Andre obiecał. No, może nie do końca obiecał, ale często dawał mi to do zrozumienia. Bo co miałam pomyśleć, kiedy mówił: „Wybrałem tę sztukę z myślą o tobie, Lucy", mrugając przy tym porozumiewawczo i uśmiechając się?

Spanikowana rozejrzałam się za Ty'em. Potrzebowałam go – on nadałby temu wszystkiemu sens. Ale nigdzie go nie było, a wyniki castingu szybko zaczęły docierać do mojej świadomości.

Wyschło mi w ustach, nogi miałam jak z waty. Courtney i Max wymienili zaniepokojone spojrzenia i szybko zaprowadzili mnie do damskiej toalety. Tam się rozkleiłam.

— Nienawidzę jej! Sztuczna, głupia krowa! Czego ona tu szuka? Wszystko psuje!

Moi przyjaciele usiedli przy mnie na zimnej posadzce, każde z nich wzięło mnie za rękę i zaczęło gładzić po plecach. Pozwolili mi wyrzucić z siebie złość. Przypomniało mi się, jak pocieszali mnie w ten sposób trzy lata temu, ale moje myśli przerwało wejście grupki dziewczyn z pierwszych klas. Kiedy nas zobaczyły, zatrzymały się.

— Ej, ciebie nie powinno tu być — pisnęła z oburzeniem jedna z nich na widok Maxa.

— No jasne, bo te babskie sprawy są taaakie ciekawe — odpowiedział, przewracając oczami.

Dziewczyna obrzuciła wzrokiem jego przylizane woskiem włosy i zielony obcisły sweterek, spod którego wyglądała koszulka z Lady Gagą. Na jej twarzy zagościł wyraz zrozumienia.

— A jej co się stało? — wskazała na mnie.

— O nią się nie martw — odpowiedział Max.

Dziewczyny jeszcze chwilę się na mnie pogapiły - nadal byłam w totalnej rozsypce. Potem wzruszyły ramionami i wyszły.

— Chyba jednak nie chciało im się siusiu — wymamrotał Max i delikatnie odgarnął mi włosy z twarzy.

Kiedy moje głośne zawodzenie przeszło w ciche łkanie, Courtney powiedziała: „Lucy, kochanie, zaraz zaczyna się próba z tekstem. Idziesz?".

Popatrzyłam na nią, a potem na Maxa. Uśmiechnęli się niepewnie. Za dobrze ich znałam - nie chcieli mnie tu zostawiać, ale nie mogli się doczekać, kiedy pognają na próbę. Poczułam wyrzuty sumienia - nie mogłam ich dłużej zatrzymywać. Przytaknęłam, chwiejnie stanęłam na nogach i obmyłam twarz chłodną wodą.

— Przepraszam was — powiedziałam lekko zażenowana swoją gwałtowną reakcją.

— No co ty. My też uważamy, że Elyse to głupia krowa.

Nawet udało mi się uśmiechnąć. Max zawsze wiedział, jak mnie szybko pocieszyć.

— Wiem, że to może nie to, co chciałabyś teraz usłyszeć — Courtney zaczęła w drodze na próbę — ale Merkucjo to świetna rola. Będziesz najlepsza.

Westchnęłam. Zwykle byłam zachwycona niekonwencjonalnymi castingami Andre. A Merkucjo to genialna rola. Problem w tym, że nastawiłam się na Julię.

Kiedy tylko weszliśmy na salę, Andre wziął mnie na bok. Usiedliśmy w półmroku w ostatnim rzędzie. Niezbyt uważnie słuchałam jego wyjaśnień. Karmił mnie swoją wykutą na blachę bajeczką, że Merkucjo będzie dla mnie wyzwaniem, a Elyse obsadził w głównej roli tylko dlatego, że nie ma w niej żadnych pułapek i wiedział, że sobie poradzi. Byłam świadoma tego, że to stek bzdur.

— Daj sobie spokój, Andre. Przyznaj po prostu, że dałeś jej tę rolę, bo stwierdziłeś, że lepiej ją zagra ode mnie.

Cisza. Andre tępo zagapił się przed siebie, błądząc nieobecnym wzrokiem po scenie, gdzie właśnie trwała rozgrzewka przed próbą.

— Proszę — powiedziałam.

Andre westchnął.

— Na przesłuchaniu wypadła świetnie…

— No powiedz to. — Nie wiedziałam dlaczego, ale chciałam to usłyszeć.

— Dobrze. — Niepewnie skrzyżował palce. — Dałem jej tę rolę, ponieważ stwierdziłem, że zagra ją lepiej od ciebie.

Voilà. Szczera prawda. Mimo ciężkiej pracy i przygotowań, wciąż nie byłam dość dobra.

Nie zrozumcie mnie źle - nie oczekiwałam, że zdobędę każdą wymarzoną rolę. Przecież w szkole letniej Elyse nie raz zwijała mi role sprzed nosa. Ale to nie było to samo. Teraz jestem w *mojej* szkole, w *moim* kole teatralnym - to *moje* życie. Zawsze byłam gwiazdą mojego małego światka - już od pierwszej klasy dostawałam wszystkie najlepsze role, miałam najlepsze stopnie nawet z najtrudniejszych przedmiotów i od razu zdobyłam chłopaka, który naprawdę mi się spodobał. Ale wtedy pojawiła się Elyse i w jednej chwili nic już nie było takie samo.

A to był dopiero początek moich problemów.

Zapomnij o nim

Kiedy odeszłam kilka kroków od Andre, w ułamku sekundy powzięłam postanowienie, że przekonam wszystkich, że jest OK... Lepiej nawet – że jestem wprost *zachwycona*. Elyse nie mogła się dowiedzieć, jak bardzo zalazła mi za skórę – nie miałam zamiaru dawać jej tej satysfakcji.

Dlatego też, gdy Ty otoczył mnie ramieniem i szeptem zapytał, czy wszystko w porządku, roześmiałam się i zapewniłam go, że cieszę się z tej roli, ponieważ mogę z nią poeksperymentować i po swojemu zinterpretować. Chyba go przekonałam, ponieważ pocałował mnie i powiedział:

— Lucy, jesteś prawdziwą aktorką. Uwierz mi, gdybym nie dostał roli Romea, nie przyjąłbym tego tak spokojnie.

Poczochrał mnie po głowie, a następnie jednym susem wskoczył na scenę, dołączając do pozostałych, którzy robili już próbę z tekstem.

„Widzisz, Andre — pomyślałam gorzko — naprawdę dobra ze mnie aktorka".

Ale już po chwili nawet mnie ciężko było w to uwierzyć. Przez całe wakacje skupiałam się tylko na roli Julii i dziwnie się poczułam, kiedy nagle przyszło mi mówić słowami Merkucja. Brzmiały dla mnie obco i wypowiadając je, czułam, jakby z moich ust padały kamienie. Podczas gdy Elyse bez trudu mknęła przez górnolotności

Szekspira, jakby były co najmniej jej ulubioną rymowanką, ja potykałam się na każdym wersie.

Na domiar złego zaczęła flirtować z Ty'em. Nawet specjalnie się z tym nie kryła. Zalotnie muskała go po ramieniu, szeptała coś do ucha i chichotała jak wariatka za każdym razem, gdy coś powiedział. Wszystko to na moich oczach. Całe popołudnie.

Gdybym nie miała pewności, że Ty nie jest nią zainteresowany, odpuściłabym sobie i przestała robić dobrą minę do złej gry. Jakby Elyse obrała sobie za cel ukraść mi życie.

Kiedy wieczorem wróciłam do domu, na stole w kuchni znalazłam tuzin różowych róż, które moi ojczulkowie zostawili specjalnie dla mnie. Na karteczce napisali: „*To, co zowiem różą, pod inną nazwą równie by pachniało...* Gratulujemy, Lucy!". Opadłam na krzesło, a otaczająca mnie słodka woń róż sprawiła, że po prostu musiałam się uśmiechnąć. Moi tatusiowie byli chyba jedynymi gejami na świecie, którzy nie mieli zielonego pojęcia o teatrze. Wiedziałam, że wybrali ten cytat tylko dlatego, że nawiązywał do kwiatów, które były ich jedynym zainteresowaniem wpisującym się w stereotyp geja, a ja na drugie imię mam przecież Rose - czyli róża. Ta ich pełna dobrych intencji nieporadność trochę poprawiła mi humor.

Poszłam do salonu, gdzie Tata i Papa siedzieli zwinięci na kanapie pod swoimi kocykami, oglądając *Prezydencki poker* na DVD. Ze wszystkich rodziców, których znałam, jedynie moi ojcowie nie tylko byli wciąż razem, ale nadal byli w sobie zakochani.

— Dzięki za kwiaty — powiedziałam, wciskając się między nich.

— No to powiedz — zaczął Papa, podając mi miskę z popcornem — czy mamy przed sobą nową Julię?

— Nie — odpowiedziałam.

Tata nacisnął pauzę.

— Co się stało?

— Elyse St. James - oto, co się stało.

— Skarbie, tak mi przykro — powiedział Tata.

To kolejna rzecz, którą uwielbiałam w moich ojcach. Może i teatr niewiele ich obchodził, ale za to obchodziło ich to, że *ja* się nim interesuję.

— Jaką rolę dostałaś?

— Merkucja — odpowiedziałam zrezygnowana, wzruszając ramionami. — Przynajmniej on też umiera na scenie.

~

Kiedy następnego dnia poszłam do szkoły, moja szafka była cała w zdjęciach. Internetowe fotki przeróżnych aktorów: Laurence Olivier, Keanu Reeves, Ben Affleck, John Barrymore i gość, który grał Michaela w *Zagubionych*.

W kompletnym osłupieniu gapiłam się na ten kolaż. „Kto to zrobił? Co to ma znaczyć"?

— I co ty na to? — Tuż obok usłyszałam głos Ty'a.

Okręciłam się na pięcie.

— To twoja sprawka?

Wsadził ręce do kieszeni i dumnie wyprężył pierś.

— Tak. Specjalnie przyszedłem wcześniej.

— Ale... dlaczego? — Chyba nie zabrzmiało to zbyt dobrze. To miało być normalne pytanie, ale ponieważ byłam trochę skołowana, Ty odebrał je jak zarzut.

Uśmiech zniknął z jego twarzy.

— Nie podoba ci się. Wiedziałem, że to głupi pomysł. — Już miał zacząć zdzierać zdjęcia, kiedy zagrodziłam mu drogę.

— Podoba mi się. Tylko nic z tego nie rozumiem.

— Oni wszyscy grali kiedyś Merkucja — wyjaśnił Ty. — Max twierdził, że było ci bardzo przykro, że nie dali ci roli Julii. Powiedziałem mu, że ja nic takiego nie zauważyłem, ale nie dał się przekonać. Pomyślałem więc, że poczujesz się lepiej, wiedząc, że jesteś w dobrym towarzystwie.

Odwróciłam się do szafki i jeszcze raz się jej przyjrzałam. Oczywiście. John Barrymore grał Merkucja w filmowej wersji *Romea i Julii* z lat 30. Gość z *Zagubionych* grał w filmie z DiCaprio. Laurence Olivier pewnie grał Merkucja w teatrze - był czas, kiedy grał we wszystkich sztukach Szekspira.

Mocno złapałam Ty'a za rękę.

— Dziękuję — wyszeptałam.

~

Minęły dwa tygodnie. O dziwo, polubiłam grać Merkucja. Ta rola faktycznie była świetna - w zaledwie czterech scenach moja postać miała być: śmieszna, seksowna, prostacka i gwałtowna. A na koniec miałam zginąć w pojedynku na miecze.

Czymże jest nazwa? To, co zowiem różą, pod inną nazwą równie by pachniało. Być może nieświadomie moi ojczulkowie chcieli mi coś przekazać tym cytatem? Wciąż do niego wracałam w myślach. „Nieważne, jak coś się nazywa — myślałam — ważne, czym jest. Może i nie gram Julii, ale to nie znaczy, że nie mogę być świetna w swojej roli".

Dzięki roli Merkucja zaprzyjaźniłam się z nowym chłopakiem, Evanem, który grał Tybalta. Oceniając go po wyglądzie, pewnie nigdy nie pomyślelibyście, że Evan może się interesować teatrem. Na zmierzwionych włosach nosił bejsbolówkę, prawie codziennie miał na sobie te same wytarte dżinsy, a podczas przerw grał na PlayStation. Ale w swoim starym kółku teatralnym uchodził za guru wszelkich scenicznych walk, więc chyba nieźle trafiłam, że to właśnie z jego ręki miałam zginąć.

W poszukiwaniu mieczy do pojedynku zeszliśmy z Evanem do olbrzymiej rekwizytorni w piwnicy. Zajęło nam to chwilę - musieliśmy przecisnąć się przez niedbale rzucone ogromne tła oraz narzuty przewieszone przez większe meble. Kiedy w końcu dotarliśmy do mieczy, aż przysiedliśmy na ich widok.

— Ale tu tego... — wyszeptał Evan.

Wyglądało na to, że w Eleanor Drama zbierali te miecze od czasów zimnej wojny. Cała rekwizytornia zawalona była stertami mieczy każdego rozmiaru i rodzaju. Poustawiane rzędami wzdłuż ścian, wystające z dużych koszy, a nawet dyndające na suficie jak srebrne kandelabry.

— To od którego zaczynamy? — zastanawiałam się zdumiona.

Twarz Evana powoli rozjaśniła się w uśmiechu.

— Od pierwszego z brzegu.

Wyciągnęłam jakiś miecz z najbliższego kosza i dźgnęłam nim w powietrzu. Był za lekki, zbyt delikatny. Wzięłam inny. Pomalowany na czarno nie odbijał światła dokładnie tak, jakbym tego chciała. Wyciągałam kolejne miecze, ale one także mnie rozczarowywały.

— Jak poznam, że to ten? — wymamrotałam.

Evan obrzucił mnie pełnym powagi spojrzeniem.

— To on cię wybierze — powiedział.

— To sklep z różdżkami Ollivandera, czy co?

Evan spojrzał się na mnie z zagadkowym wyrazem twarzy.

— Nigdy nie czytałeś *Harry'ego Pottera*? — zapytałam.

Roześmiał się.

— Jasne, że czytałem.

— Więc, o co… — W tym momencie mój wzrok natknął się na dwa leżące obok siebie miecze, osobno zawinięte w aksamit i spoczywające w przezroczystym plastikowym pudle. Ostrożnie odwinęłam jeden z nich. W chwili kiedy moja dłoń zacisnęła się na srebrnej rękojeści, zrozumiałam, że to ten.

Evan chwycił drugi miecz. Wydawało mi się, że wydał z siebie stłumiony okrzyk.

To były prawdziwe miecze - w odróżnieniu od tych stosowanych zazwyczaj w teatrze te nie miały tępych brzeszczotów. Ciężar mi odpowiadał - poniekąd czułam się dzięki niemu silniejsza. Zamierzyłam się na Evana, a on nie pozostał mi dłużny. W chwili gdy skrzyżowaliśmy lśniące klingi, strzeliły prawie niedostrzegalne iskry, a w naszych uszach rozbrzmiał szczęk stali. Evan i ja uśmiechnęliśmy się do siebie. To było to.

Oboje uważaliśmy za dziwne, że szkoła w ogóle miała takie miecze. Były jednak niesamowite, a my je wprost uwielbialiśmy. Dlatego postanowiliśmy nic nie mówić Andre.

Od tej pory przed każdą próbą przez pół godziny opracowywaliśmy z Evanem choreografię naszej walki. Nie mogłabym sobie wymarzyć lepszego partnera - chłopak był prawdziwym geniuszem szermierki.

— On jest naprawdę seksowny — pewnego dnia stwierdził Max, kiedy razem z Courtney przyglądałyśmy się Evanowi.

— Przykro mi, panie Maksymilianie — powiedziałam — jestem pewna, że on jest hetero.

Max westchnął.

— No tak. Wszyscy fajni są albo hetero, albo zajęci. Albo jedno i drugie — tu Max wskazał na Ty'a, który właśnie ćwiczył wspinanie się na balkon Julii. Jego ciało tancerza poruszało się zwinnie, a ja patrząc na niego, poczułam, jak zalewa mnie fala czułości.

Courtney pacnęła przekornie Maxa w głowę.

— Wariat. Jedyne, na co nie możemy narzekać w tym kółku, to brak gejów. To nie ich wina, że żaden z nich ci się nie podoba — Courtney westchnęła. — Jeśli chodzi o mnie, to ja cierpię na chroniczny brak perspektyw miłosnych. Jeśli tak dalej pójdzie, a wszystko na to wskazuje, skończę jako czterdziestoletnia dziewica.

Roześmiałam się.

— A co z Evanem? — zapytałam, układając już sprytny plan w głowie. — Trochę się zaprzyjaźniliśmy. Mam go zapytać, czy mu się podobasz?

Courtney była niska, wyjątkowo nieśmiała i na domiar wszystkiego nosiła aparat na zębach. W kwestii facetów była kompletnie zielona. Odkąd się znaliśmy, zawsze marzyła o swoim księciu z bajki.

Courtney potrząsnęła głową.

— Związki w kółku teatralnym są trochę kazirodcze. Znając mnie, nic z tego nie wyjdzie, a potem na każdej próbie będą głupie sytuacje. Dzięki, nie skorzystam.

— No nie *każdy* związek w kółku teatralnym to od razu zły pomysł — zaprotestowałam.

~

Ale już wkrótce aż za dobrze zrozumiałam, co Courtney miała na myśli. Aktorskie wyzwanie numer dwa.

To było niedzielne popołudnie. Siedziałam właśnie na podłodze w swoim pokoju, próbując wybrzdąkać piosenkę Taylor Swift na gitarze, kiedy Courtney przysłała mi SMS:

Sprawdź profil Elyse na FB!

Zalogowałam się po raz pierwszy od wielu tygodni, weszłam na profil Elyse i zaczęłam analizować następujące słowa:

ELYSE ST. JAMES
W ZWIĄZKU Z TY PARKER.

Zadzwoniłam do Courtney.

— I co? Widziałaś?

— Właśnie na to patrzę — powiedziałam. — Wiesz, w sumie jest mi jej żal. Ma pewnie niezły kompleks niższości, skoro musi kłamać, że ma chłopaka.

— Lucy… — Courtney zaczęła powoli. — Na Facebooku nie możesz napisać, że jesteś w związku, z kim chcesz – druga osoba musi potwierdzić ten status, zanim zostanie opublikowany.

„Moment. Racja. Ale to nie miało sensu – dlaczego Ty miałby się zgodzić na opublikowanie czegoś takiego?" Powoli w mojej głowie kształtować się zaczął inny obraz. Dużo bardziej przerażający.

— Lucy? Jesteś tam? — zapytała Courtney.

— Muszę kończyć — wyszeptałam. Rozłączyłam się i natychmiast zadzwoniłam do Ty'a.

Odebrał już po pierwszym sygnale.

— Cześć, kochanie!

— Masz mi może coś do powiedzenia? — zapytałam.

— O co ci chodzi?

— Zgodnie ze statusem Elyse na Facebooku, jesteś z nią *w związku*...

Tu nastąpiła dłuższa cisza.

— Ty? — powiedziałam łagodnie.

— Nie sądziłem, że to zobaczysz — powiedział. — Nie korzystasz z Facebooka.

— A co to ma do rzeczy?

Usłyszałam długie westchnienie.

— Uwierz mi, nie planowałem tego — powiedział Ty. — Nawet mi się nie podobała w ten sposób.

— Nie planowałeś *czego*?

Znowu cisza. Ty nie chciał dłużej ciągnąć tej rozmowy. To była bolesna prawda. Ale w końcu zaczął mówić.

— W zeszłą sobotę byłem u niej w domu. Ćwiczyliśmy... te bardziej romantyczne sceny. Nie wiem, jak to się stało, ale w pewnym momencie zaczęliśmy się całować.

„Chyba żartujesz" — pomyślałam. Znałam różnicę między pocałunkiem scenicznym a tym prawdziwym.

— Więc chcesz przez to powiedzieć, że całowaliście się z języczkiem.

— Tak.

— Namiętnie?

— Tak.

— Coś oprócz całowania? Chcę wiedzieć.

Ty zawahał się ponownie.

— Może trochę się... macaliśmy. Ale byliśmy w ubraniach — dodał, jakby to miało polepszyć sprawę.

— Na tym jednym razie się nie skończyło, prawda?

— Tak — przyznał cicho.

— Kiedy miałeś zamiar mi powiedzieć? — zapytałam, z wysiłkiem opanowując drżenie głosu, mimo iż łzy spływały mi po twarzy.

— Nie wiem. Czekałem chyba na odpowiedni moment.

Nie odpowiedziałam – rozłączyłam się.

Życie jest snem wariata

Jedna z najpiękniejszych rozmów mojego życia miała miejsce rok wcześniej.

TY

unosząc się na dmuchanym kole w swoim basenie

Moja siostra wychodzi za mąż.

JA

siedząc na brzegu basenu, zanurzając stopy w wodzie

Naprawdę?

TY

Tak, powiedziała nam wczoraj wieczorem. Mają się pobrać w sylwestra w mieście.

JA

uradowana

To świetnie!

TY

niespodziewanie

Chcesz pójść?

JA

zaskoczona

Z tobą? Na ślub twojej siostry?

TY

Tak.

JA

podekscytowana

Tak! Tak, tak, tak! Ale... na pewno nie zmienisz zdania? Nowy Rok jest dopiero za pięć miesięcy...

TY

przytulając mnie do siebie w wodzie

Jasne, że nie zmienię. Kocham cię, Lucy.

JA

stłumiony okrzyk

TY

namiętnie mnie całuje

JA

śmiejąc się jak wariatka

Też cię kocham.

Koniec sceny

Zerwanie z Ty'em było z wielu względów okropne, ale jedną z najgorszych rzeczy było to, jak powiedzieć o tym innym. Nie możesz przecież nagle ogłosić wszem i wobec, że ty i twój chłopak, który od półtora roku czynił cię najszczęśliwszą osobą pod słońcem, nie jesteście już razem, i tyle. Będą chcieli wiedzieć, co się stało. A przyznać swoim rodzicom i przyjaciołom, że to on cię zdradził, to naprawdę krępująca sprawa.

Wieści rozchodzą się jednak piorunem. Powiedziałam Maxowi i Courtney, a oni natychmiast powtórzyli pozostałym. Nie mieli zamiaru plotkować – chcieli tylko wszystkich dokładnie poinformować, żeby stanęli po mojej stronie. Chyba nawet zadziałało – ludzie zaczęli omijać Elyse szerokim łukiem, a na przerwach między próbami rzucali jej pogardliwe spojrzenia. Jednak ciężko poczuć smak zwycięstwa, kiedy wszyscy się nad tobą użalają. Czułam, że jeśli jeszcze jedna osoba zapyta mnie, jak się mam, albo powie mi, jaki palantem jest Ty, zacznę krzyczeć.

Jakby tego było mało, Ty cały czas mnie przepraszał. Mała poprawka: przepraszał tylko za to, w jaki sposób dowiedziałam się o jego zdradzie, a nie za samą zdradę. Subtelna różnica, ale jednak.

Starałam się uwierzyć w pocieszenia Maxa i Courtney, że odżyłam po rozstaniu z Ty'em i że zasługuję na kogoś lepszego, ale ja nie mogłam przestać się łudzić, że on może zrozumie swój błąd i będzie chciał mnie odzyskać.

Wtedy ich zobaczyłam. Całowali się.

Przed próbą zbieraliśmy się wszyscy na scenie. Nie dało się przeoczyć, jak Ty cały się rozpromienił na widok Elyse. Rzucili się sobie w objęcia, jakby nie widzieli się od stu lat, a ja bezradnie patrzyłam, jak Ty ujmuje twarz Elyse w dłonie i pochyla się, by ją pocałować – dokładnie tak, jak robił to ze mną. Ten widok był sto razy gorszy od wciąż podsuwanego mi przez wyobraźnię obrazu tych dwojga w pokoju Elyse.

Cała nadzieja prysła. Pobiegłam do domu i wyrzuciłam wszystko, co przypominało mi o naszym związku. Niewyjęte jeszcze z ramek zdjęcia, upominki, ususzony bukiecik z butonierki z balu juniorów. Usunęłam wszystkie zdjęcia Ty'a z telefonu i zablokowałam go na Facebooku.

Ale nie mogłam go usunąć z głowy. Zwłaszcza że dzień w dzień na próbach musiałam ich oglądać, kiedy arcynaturalnie odgrywali Romea i Julię. To była męka.

Jeśli chodzi o Elyse, w ogóle się do mnie nie odzywała. Ale samozadowolenie wprost od niej biło. Nigdy nie miałam tak wielkiej ochoty komuś przywalić jak właśnie tej laluni z idealnym noskiem prosto spod skalpela.

Po piątkowej próbie wróciłam prosto do domu. Poszłam do kuchni z zamiarem zrobienia sobie małej uczty na pocieszenie. Zasłużyłam na kilka dodatkowych kalorii – przerwa w aktorskiej diecie miała być moją nagrodą za ten piekielny tydzień. I za wspaniały weekend bez Elyse „Panny Niszczycielki".

Posmarowałam masłem dwie pajdy chleba i położyłam na nich trzy plasterki produktu seropodobnego. Patelnia skwierczała i syczała, a ja stałam przed kuchenką jak zahipnotyzowana - ciepło płomienia ogrzewało moją twarz, a pomarańczowy pseudoser miękko spływał po chrupiącym chlebie. Kiedy już zaczęła mi cieknąć ślinka, usłyszałam dobiegający z salonu głos Taty. Dziwne. Moi ojczulkowie mieli zwyczaj wychodzenia w piątki wieczorem.

— Lu? — zawołał mnie. — Możesz podejść?

Wyłączyłam kuchenkę i poszłam do salonu.

— Co tam?

I wtedy zobaczyłam ją. Problem numer trzy.

Lisa Williams siedziała wygodnie w wielkim czerwonym fotelu, z nogą założoną na nogę, a cała jej postawa wyrażała przekonanie, że jest oto u siebie w domu. Rzuciła mi krzywy uśmieszek. Spojrzałam na moich ojców siedzących na kanapie. Tata miał przyklejony do twarzy sztuczny uśmiech, a Papa wyglądał tak, jakby zaraz miało mu rozsadzić czaszkę. Wiedziałam, co czuł.

— Co ona tu robi?

— Oj, niełądnie tak traktować mamusię — powiedziała Lisa.

— Nie jesteś moją matką — odwarknęłam zimno, nawet na nią nie patrząc.

Gdyby tylko to była prawda.

Rzecz w tym, że Tata, czyli Adam Moore, na ostatnim roku studiów na wydziale historii sztuki w Kolumbii przechodził fazę „określania własnego ja". Wdał się w krótki romans ze swoją najlepszą przyjaciółką, Lisą, i bach - Lisa zaszła w ciążę. Była studentką z Wielkiej Brytanii, która w planach miała karierę wędrownego fotografa zespołów rockowych, a nie karierę matki. Ale Tata, który definitywnie zakończył swoje eksperymenty ze związkami hetero, dobrze wiedział, że to może być jego ostatnia szansa na biologiczne dziecko bez uciekania się do pomocy surogatki. Umówili się więc, że Lisa ma mnie tylko donosić i urodzi, a Tata przejmie dalsze obowiązki. Oboje dotrzymali słowa. Przez trzy lata, kiedy Tata rozwijał swoją karierę marszanda, mieszkał ze mną u swoich rodziców na Brooklynie. Potem Tata spotkał Papę, czyli adwokata Setha Freemana, przeprowadziliśmy się do naszego domu z pięcioma sypialniami w Eleanor Falls, Seth zaadoptował mnie i nasza rodzina była wreszcie w komplecie.

Nigdy się nie zastanawiałam, skąd się wzięłam, jak robiła to większość dzieci, które zostały adoptowane lub mają tylko jednego rodzica. Moi ojcowie zawsze tak otwarcie opowiadali mi o Lisie, że rzadko miałam potrzebę zadawania jakichkolwiek pytań. W jednym z moich najwcześniejszych wspomnień z dzieciństwa siedzę na kolanach u Taty i oglądam zdjęcia pięknej kobiety o długich, ogniście rudych włosach. Wtedy po raz pierwszy zrozumiałam, że moje kasztanowe włosy były dokładną mieszanką włosów Lisy i brązowych loków Taty.

Jednak fakt, że wiedziałam, kim jest moja matka, nie oznaczał, że za nią nie tęskniłam. Co roku wysyłaliśmy Lisie pocztówki z wakacji i moje szkolne zdjęcia. Dzięki temu czułam się ważna, wyjątkowa. Zawsze miałam nadzieję, że listonoszka przyniesie mi adresowany tylko do mnie list z Anglii z podobizną królowej na znaczku. Nigdy się jednak nie doczekałam. Pierwszy kontakt z Lisą miałam w wieku ośmiu lat. Wtedy to bez zapowiedzi pojawiła się w naszym domu.

Na początku nie mogłam uwierzyć, że to ta sama osoba, którą widziałam na zdjęciach. Była niesamowicie chuda, jej pomarańczowe włosy były matowe, a twarz – zapadnięta. Powiedziała, że wróciła do Nowego Jorku na jakiś rok i że potrzebuje pieniędzy. Stwierdziła, że nie ma dokąd pójść. Została u nas dwa dni. Spała w *naszym* pokoju gościnnym, jadła *nasze* jedzenie i korzystała z *naszej* łazienki. Nie przytuliła mnie ani nie zapytała, jaki jest mój ulubiony przedmiot. Jej niebieskie oczy wciąż uciekały na boki w popłochu. Na niczym – a zwłaszcza na mnie – nie była w stanie skupić wzroku dłużej niż sekundę. W końcu nagle wyjechała – z pieniędzmi w garści, obiecując, że będzie z nami w kontakcie. Nie dała znaku życia przez kolejnych pięć lat.

Kiedy pojawiła się po raz drugi, także wtedy zmaterializowała się pod naszym domem bez żadnej zapowiedzi. Wydawało się wówczas, że się jakoś pozbierała – miała makijaż i wyglądała o wiele zdrowiej. Nie prosiła o pieniądze – powiedziała, że chce tylko mnie poznać. Tym razem ojcowie decyzję powierzyli mnie – czy chcę, żeby Lisa ponownie u nas została? To była moja szansa. Miałam trzynaście lat, rosły mi piersi i niedawno po raz pierwszy dostałam okres. Pomysł, żeby mieć obok siebie mamę, był niezwykle kuszący. Nieśmiało przytaknęłam i Lisa się wprowadziła. Było świetnie. Zabierałam ją na moje ulubione przedstawienia na Broadwayu, a nawet grałam jej na gitarze piosenki, których właśnie się uczyłam. Lisa opowiadała mi o swoich podróżach z zespołami rockowymi po Europie, Azji i Ameryce Północnej. Chodziłyśmy na zakupy i do kosmetyczki. Przedstawiłam ją nawet Maxowi i Courtney.

I nagle, po jakimś miesiącu pobytu u nas, Lisa zniknęła. Na kuchennej szafce zostawiła liścik, w którym wyjaśniała, że to wszystko dzieje się zbyt szybko i że nie tak wyobraża sobie swoje życie. Przez wiele tygodni zasypiałam na poduszce mokrej od łez.

Teraz znowu tu jest – siedzi w naszym salonie po raz trzeci w moim życiu.

— Co ona tu robi? — zapytałam ponownie.

— Lucy — powiedział Tata. — Usiądź z nami.

— Odpowiedz na moje pytanie.

— Chodzi o to, że… — ostrożnie zaczął Tata — Lisa chciałaby się u nas na jakiś czas zatrzymać. Chyba powinniśmy wszyscy przedyskutować nasze odczucia w tej kwestii.

Poczułam, jakbym dostała obuchem w głowę. Nie byłam w stanie na ten temat teraz rozmawiać.

— Przenocuję dziś u Courtney — powiedziałam i pobiegłam na górę.

Włączyłam szybko komputer, żeby skontaktować się z Courtney oraz Maxem.

— Imprezujemy dzisiaj — napisałam krótki e-mail, po czym wyszłam z domu.

Balujemy!

Zrobimy tak: na dzisiejszy wieczór Lucy Moore przestaje istnieć — błysnęłam moją fałszywą legitymacją. — Pamiętajcie, dziś nazywam się Samanta Porter, mam 22 lata i studiuję w Filadelfii.

Była dziewiąta wieczorem. Północną linią metra toczyliśmy się w kierunku centrum Nowego Jorku. Max i ja powiedzieliśmy rodzicom, że będziemy nocować u Courtney, co zresztą zamierzaliśmy uczynić, ale dopiero nad ranem. Mama Courtney miała nocny dyżur w szpitalu.

— Skąd ten nagły głód przygód, Luce? — zapytał Max.

Byliśmy paczką przyjaciół, która chodziła raczej do teatru, wypożyczała filmy i przesiadywała w kawiarniach. Clubbing nie był w naszym stylu. Fałszywe legitymacje mieliśmy tylko dlatego, że, jak nakazywała stara dobra tradycja koła Eleanor Drama, kończący szkołę uczniowie przekazywali młodszym swoje stare legitymacje.

— Mnie pytasz? — zapytałam z przekąsem. — Nie jestem Luce. Mam na imię Samanta.

Courtney i Max jak na komendę przewrócili oczami. Ale przynajmniej przestali mnie dręczyć pytaniami. Nie mieli pojęcia, że Lisa wróciła, a ja nie miałam zamiaru im o tym mówić. Dziś wieczór robiłam sobie przerwę od mojego życia.

— Oczywiście, *Samanto* — odpowiedział Max.

O dziesiątej gotowi przetańczyć całą noc stanęliśmy pod klubem w Chelsea, ale okazało się, że otwierają dopiero o północy. Byłam rozczarowana. Powinnam była dokładniej sprawdzić godziny.

— Co teraz? — zapytała Courtney.

— Cóż, teraz znajdziemy sobie inne miejsce — odparłam niezniechęcona.

Włóczyliśmy się jeszcze przez jakiś czas, aż znaleźliśmy miejsce, które wyglądało całkiem obiecująco. Przed klubem rozwinięto welurowy dywan, przy wejściu stał ogromny bramkarz, a z otwartych drzwi płynęła muzyka na żywo. Wysunęłam się na przód i bez mrugnięcia okiem pokazałam moją fałszywą legitymację. Bramkarz spojrzał, odchrząknął i potrząsnął głową. Wiedział, że jest podrobiona. Ale nie mogłam mu pozwolić tak łatwo się nas pozbyć. W tym tempie nigdy nie zaczniemy.

Wypięłam biust i posłałam mu zdziwiony uśmiech.

— Czy coś się stało? — zapytałam słodko.

Bramkarz zlustrował mnie od góry do dołu - włosy opadały mi na ramiona, wyglądałam jak mała zadziora - cała w czerni, w obcisłym topie, rurkach i botkach na obcasie. Kupiłam je na premierę *Kabaretu*, ale dopiero dziś po raz pierwszy włożyłam je na imprezę. Ku mojemu zdziwieniu strój zadziałał - bramkarz oddał mi legitymację, ostemplował nam dłonie i machnięciem ręki zaprosił do środka, nie sprawdzając nawet Maxa i Courtney.

— To było niesamowite — powiedziała Courtney, kiedy torowaliśmy sobie drogę do baru. — Byłam absolutnie pewna, że się nie uda.

Kupiłam trzy drinki Long Island i skończyłam swój, zanim jeszcze moi przyjaciele doszli do połowy szklanek. Natychmiast zamówiłam kolejny.

— Wszystko w porządku, Luce? — zapytał Max zaniepokojony. Wiedział przecież, że zwykle nie piję.

— *Samanta* — powiedziałam z naciskiem, pokazując siebie palcem. Skończyłam swój drugi drink i z hukiem odstawiłam szklankę na ladę.

— Idziemy tańczyć! — wykrzyknęłam i zaczęłam się ruszać w rytm muzyki.

— Lu... Samanta, nie wydaje mi się, że tu się tańczy — powiedziała Courtney.

Pewnie miała rację. Kapela na scenie grała akustycznego alternatywnego rocka, a największym szaleństwem, na które inni sobie pozwalali, było poruszanie głowami lub kiwanie się na siedzeniach. Ale drinki były mocne, moje ciało rozgrzane i nie obchodziło mnie to, co robili inni. Chciałam tańczyć. Szybko wcieliłam ten zamiar w czyn.

Co ciekawe, inni poszli za moim przykładem. Wkrótce na parkiecie tańczyło już kilkanaście osób. Po kilku piosenkach wokalista powiedział do tańczących:

— Zmiksujemy dla was co nieco. Ten kawałek jest dla dziewczyny ubranej na czarno — powiedział, wyraźnie wskazując na mnie.

Przerzucił się z gitary akustycznej na elektryczną, a zespół zaczął grać nową piosenkę. Był to głośny, szybki i najlepszy, jaki w życiu słyszałam, kawałek do tańca.

— Łaaa! — wrzeszczałam, skacząc jak oszalała. Chciałam się jeszcze napić, ale nie chcąc tracić czasu przy barze, wyrwałam Maxowi drinka z ręki i wychyliłam do dna. Zakręciło mi się w głowie. Ale właśnie o to chodziło. Nie byłam w stanie myśleć o niczym innym niż tylko o muzyce.

Courtney i Max wreszcie do mnie dołączyli i we trójkę zatraciliśmy się w tańcu.

Po kilku kawałkach wokalista podszedł do baru na drinka. Był powalająco przystojny - kilkudniowy zarost, koszulka w stylu vintage odsłaniająca tatuaże na idealnych ramionach. Byłam kompletnie zszokowana, kiedy do mnie podszedł.

— T-twoja kapela wym-miata... — wyjąkałam.

— Dzięki, fajnie, że ci się podoba — uśmiechnął się i wyciągnął do mnie rękę. — Jestem Lee.

— Jestem Lucy — odpowiedziałam. „Niech to cholera… Samanta! Za późno". Zanim podałam mu rękę, przytomnie osuszyłam ją z potu, wycierając w dżinsy.

— Zostaniesz na drugą część, Lucy?

— Jasne.

— Super — odpowiedział i wskoczył z powrotem na scenę.

Courtney, Max i ja patrzyliśmy się na niego jak urzeczeni.

— To absolutnie piękny facet — powiedział Max.

— Amen — dokończyła Courtney.

Nic nie powiedziałam. Lekko się uśmiechając, patrzyłam tylko, jak Lee stroi gitarę - wiedziałam, że oto idealna okazja, aby raz na zawsze wymazać Ty'a z pamięci.

~

Kilka niesamowitych kawałków i trzy kieliszki tequili później Lee znowu do mnie podszedł, tym razem już z gitarą przewieszoną przez ramię.

— Hej, Lucy — powiedział. — Spadamy stąd?

Zachichotałam. Myślałam, że takie rzeczy dzieją się tylko w filmach. Przytaknęłam.

Wstałam do wyjścia, ale Courtney chwyciła mnie za ramię.

— L-Lucy, cz-czekaj… jes-steś pewna, że chcesz z n-nim iść?

Roześmiałam się.

—Ale jesteś pijana!

Max nic nie powiedział, już dawno odpłynął i spał teraz przy stole. Wzięłam Lee pod rękę i razem wyszliśmy z klubu.

Gdyby mnie widzieli...

Jasny promień ciepłego światła przeszył moje powieki. Z wysiłkiem otworzyłam jedno oko, potem drugie i zamrugałam na widok pozbawionego zasłon, zakratowanego okna.

„Gdzie jestem?"

Spróbowałam się podeprzeć na łokciach, ale ta nagła zmiana pozycji zdecydowanie nie spodobała się mojemu ciału. Zawartość żołądka podeszła mi do gardła. Czułam się słabo i byłam cała rozdygotana. Zupełnie jakbym zamiast mózgu miała chlupoczącą breję.

Wtedy sobie przypomniałam – wczoraj nieźle zabalowaliśmy. To chyba musi być kac. Wszystko, co byłam wtedy w stanie zrobić, to leżeć nieruchomo, zebrać myśli i poczekać, aż miną mdłości.

Kiedy byłam gotowa spróbować jeszcze raz, ostrożnie usiadłam i rozejrzałam się wokół.

Znajdowałam się w niewielkim pokoju, niewiele większym od łóżka, na którym siedziałam. W zlewie piętrzyła się sterta brudnych naczyń, a na blacie leżały plastikowe torebeczki, igły i rurki.

Siedziałam kompletnie naga w cudzej pościeli.

Szybko podciągnęłam kołdrę pod brodę. Obok mnie leżał nagi wytatuowany mężczyzna. W głowie zaczęły pojawiać się strzępki wspomnień z poprzedniego wieczoru. Klub. Zespół. Wokalista. Jak on miał na imię? Lee jakiś tam. We wczorajszym zamroczeniu zarówno on, jak i jego mieszkanie wydawało mi się o wiele bardziej efektowne. Ale teraz wszystko było jakieś brudne.

„Nie powinno mnie tu być. Muszę wracać do domu".

Wyślizgnęłam się z łóżka i zebrałam ciuchy tak zwinnie i bezszelestnie, jak tylko potrafiłam. Szybko się ubrałam, na kuchence znalazłam moją torebkę i na palcach wyszłam z mieszkania, cały czas trzymając w ręku buty.

Kiedy cicho zatrzasnęły się za mną drzwi, oparłam się o nie z sercem walącym jak młot. Myśli kłębiły się jak oszalałe, ale musiałam się jakoś pozbierać.

Po pierwsze: buty. Powolutku przysiadłam na schodach i wciągnęłam botki.

Po drugie: kontakt ze światem. Sprawdziłam telefon. Osiem nieodebranych połączeń i siedem SMS-ów od Courtney i Maxa między pierwszą w nocy i szóstą nad ranem, czyli ostatnie jakoś około godziny temu. Wszystkie sprowadzały się do jednego: „Gdzie jesteś?" i „Wszystko OK?".

Ponieważ nie znałam odpowiedzi na żadne z tych pytań, wsunęłam telefon z powrotem do torebki.

Kolejne na liście zadań: opuścić tę ruderę. Ale moje ciało kompletnie nie chciało współpracować. Postawiłam stopy na stopniu poniżej i spróbowałam ponownie. Nic. „No dalej, ruszcie się — pomyślałam błagalnie. — Posłuchajcie mnie. Obiecuję - to już ostatni taki numer". Chwyciłam się poręczy i mocno przywarłam do ceglanej ściany. Dźwignia. „No dobra — dodawałam sobie otuchy. — Na trzy...

Raz.

Dwa.

Trzy".

Moje oporne ciało pozostało nieruchome. Przypomniał o sobie jednak wypity wczoraj alkohol i zanim udało mi się cokolwiek zrobić, zwymiotowałam na klatkę schodową. Kiedy już pomyślałam, że chyba nic we mnie nie zostało, przyszła kolejna fala. Siedziałam tam jak siedem nieszczęść, przez dłuższą jeszcze chwilę pozbywając się zawartości żołądka. Przynajmniej było na tyle wcześnie, że mieszkańcy jeszcze spali i nikt mnie nie widział. Chociaż pod tym względem los był dla mnie łaskawy.

W końcu nudności ustąpiły. Ale wciąż byłam zbyt słaba, aby się poruszyć. Już zaczynałam myśleć, że nigdy stąd nie wyjdę. Skazana, by spędzić wieczność na tych obskurnych schodach, pozbawiona jakiegokolwiek towarzystwa poza tężejącą kałużą rzygowin i tajemniczą plamą pleśni przed drzwiami Lee. Oparłam głowę o poręcz.

„Co się wczoraj stało?"

Rozpaczliwie próbowałam sobie przypomnieć cokolwiek, co tylko pozwoliłoby mi odtworzyć wydarzenia z ostatnich siedmiu godzin. Nic jednak nie miało sensu – nie pamiętałam nawet, jak się znalazłam w tym budynku, nie mówiąc już o tym, co się stało później.

Ale im dłużej tak siedziałam, tym wyraźniejsze stawały się moje myśli, aż w końcu rozmyty z początku obraz nabrał kolorów i kształtów. Nie musiałam nawet niczego sobie specjalnie przypominać – to było jasne w chwili, kiedy obudziłam się w tym łóżku. Uprawiałam seks z Lee.

Nagle zrobiło mi się niedobrze z zupełnie innego powodu. W końcu udało mi się podnieść i jak najszybciej zbiegłam po schodach, ignorując protesty mojego ciała i nie zważając na fakt, że donośny stukot moich obcasów obudził pewnie cały budynek. Kiedy otworzyłam drzwi frontowe, na twarzy poczułam powiew chłodnego porannego powietrza. Zadrżałam. Jeszcze wczoraj mój skąpy strój wydawał mi się doskonałym pomysłem, ale dziś, cała zziębnięta, nie byłam już wcale tego taka pewna.

Ruszyłam przed siebie. O tej godzinie ulice były niemal puste. Maszerowałam żwawo, rozpaczliwie chcąc tylko znaleźć się jak najdalej od Lee i wrócić wreszcie do domu.

Mijałam kolejne stacje metra, a obok mnie przejeżdżały puste taksówki. Miałam przy sobie pieniądze — mogłam wrócić każdą z nich. Ale cieszyła mnie ta niewygoda związana z marszem. Lodowate powietrze, to, jak mój żołądek kłuł mnie przy każdym kroku, szorstki nalot na zębach i bolesne pęcherze, bo botki bezlitośnie ocierały mi stopy... Zasługiwałam na każdą z tych rzeczy, i na wiele więcej.

Przepełniał mnie wstyd. Lee był dopiero drugą osobą, z którą to robiłam, a ja nawet tego nie pamiętam. Nic o nim nie wiem. „Jak się nazywa? Ile ma lat? Jakiego koloru są jego oczy? Czy był dla mnie miły?"

Po chwili wyłonił się przede mną dworzec Grand Central. Wsiadłam do pierwszego pociągu.

Courtney otworzyła mi drzwi w piżamie. Usta miała spierzchnięte, długie czarne włosy - zmierzwione, a oczy - podkrążone. Wyglądała równie okropnie, jak ja się czułam.

— Lucy, całe szczęście! Tak się martwiliśmy! — wykrzyknęła i popchnęła mnie do łazienki: — Szybko, wkładaj piżamę - mama będzie tu lada moment.

Posłusznie zrobiłam to, co mi kazała, i wpełzłam do jej ogromnego łóżka, kładąc się obok śpiącego Maxa.

— Co się wczoraj stało? — zapytała Courtney, wchodząc do łóżka. — Chyba z tysiąc razy dzwoniłam i pisałam SMS-y. Nie chcieliśmy bez ciebie wychodzić, ale ostatni pociąg był o drugiej.

Zdążyłam już zamknąć oczy.

— Opowiem ci później — wymamrotałam jeszcze, zanim na dobre zasnęłam.

Głowa do góry

Obudziliśmy się koło południa. W wielkim skrócie opowiedziałam Maxowi i Courtney, co zdarzyło się zeszłego wieczoru: przystojny facet, noc w jego mieszkaniu i to tyle, co pamiętałam.

— To musiało być niesamowite — rozmarzył się Max.

— On nie odrywał od ciebie oczu, Lu — dodała Courtney z nutką zazdrości w głosie.

W ich głowach roiło się od romantycznych wizji miłości od pierwszego wejrzenia, czułych pocałunków i atłasowej pościeli. Ogarnął mnie wstyd.

— Muszę iść do domu — zerwałam się nagle, nie będąc w stanie dłużej o tym rozmawiać.

Do domu pojechałam w piżamie.

Tata wyszedł przed dom, kiedy tylko usłyszał mój samochód.

— Cieszę się, że wróciłaś, Lu. Porozmawiamy teraz?

— Lisa jeszcze tu jest?

— Tak — odpowiedział — ale sądzę, że kiedy jej wysłuchasz…

— Nie mam teraz na to siły, tato — przerwałam mu, przechodząc obok niego, aby wejść do domu.

Nie poszedł za mną.

— Kiedy tylko będziesz gotowa, wiesz, gdzie nas szukać.

Pobiegłam prosto na górę do łazienki, na wszelki wypadek nie patrząc nawet w stronę salonu ani kuchni, gdyby siedziała tam

Lisa. Stałam pod prysznicem tak długo, aż poczułam na ciele lodowatą wodę. Bezlitośnie szorowałam skórę, spłukiwałam i szorowałam ponownie, patrząc, jak wspomnienia ostatniej nocy znikają w odpływie.

Resztę weekendu spędziłam w swoim pokoju - prace domowe, nauka roli, gitara - w ten sposób udało mi się prawie całkowicie wyprzeć tamte nieprzyjemne miejsca ze świadomości.

W niedzielę wieczorem zapukał do mnie Papa.

— Lucy? — powiedział miękko.

— Zostaw pod drzwiami — odpowiedziałam, przypuszczając, że przyniósł mi kolację.

— Lucy, wpuścisz mnie?

W zamyśleniu przeciągnęłam palcami po strunach.

— Wejdź — powiedziałam w końcu, tylko dlatego, że to był on.

— Max dzwonił do ciebie. Próbował dodzwonić się na komórkę, ale była wyłączona. Obiecałem, że się do niego odezwiesz.

Musiała mi paść bateria. Przez cały weekend nie wyjęłam telefonu z torebki.

— Dzięki — odparłam.

Papa wszedł, zamykając za sobą drzwi i oparł się o moją biblioteczkę.

— Co u ciebie?

Wzruszyłam ramionami.

— Tak — powiedział. — Ja czuję to samo.

Zapadła dłuższa cisza.

— Więc już postanowione? — zapytałam w końcu rozgoryczona. — Ona tu zostanie? A co ze szczytnym dzieleniem się odczuciami, fajką pokoju i wspólnym podejmowaniem decyzji?

— Lucy, uciekłaś. Dałaś nam do zrozumienia, że nie chcesz uczestniczyć w dyskusji.

— Czyli jeden jedyny raz stchórzyłam i teraz muszę ponieść konsekwencje?

Papa westchnął.

— Oczywiście, że nie. Jeśli naprawdę nie chcesz, żeby tu została, już jej tu nie ma. Ale myślę… jeśli po prostu porozmawiacie, być może zrozumiesz, *dlaczego* tu jest. Może wtedy poczujesz się lepiej.

Nie odpowiedziałam.

— A może nie — dodał. — Ale myślę, że warto spróbować. Nie możesz spędzić reszty życia w tym pokoju.

Kiedy Papa wyszedł, zaczęłam przetrząsać torebkę w poszukiwaniu telefonu. Zanim go jednak znalazłam, moje palce napotkały coś innego - prezerwatywy. Zostały mi jeszcze z czasów chodzenia z Ty'em. Kompletnie wyleciało mi z głowy, że jeszcze je tam mam. W głowie zapaliło mi się ostrzegawcze światełko. Wciąż miałam dwie sztuki, nienaruszone i szczelnie zamknięte w swoich paczuszkach.

W panice zaczęły wracać wspomnienia zagraconego mieszkania Lee. Kłęby kurzu, brudne ubrania, kosze na śmieci pełne pustych butelek po napojach i zgniecionych papierków… Czy były tam też opakowania po prezerwatywach? Tego nie mogłam sobie przypomnieć.

Musiały tam być. Gdzieś. Tak bardzo mi się spieszyło, żeby stamtąd wyjść, że ich nie zauważyłam. *Nigdy* nie uprawiałam seksu bez zabezpieczenia. Przenigdy.

„Ale Lucy — zaczął głos w mojej głowie — nigdy też nie balujesz w mieście, nie upijasz się ani nie idziesz do łóżka z facetami, których nie znasz".

„Zamknij się — odpowiedziałam. — Znam siebie. I wiem, że to była żelazna zasada, której nigdy bym nie złamała".

~

W nocy z niedzieli na poniedziałek mogłam zapomnieć o spaniu.

Lisa.

Lee.

Ty.

Elyse.

W piątek wieczorem nie byłam sobą. Tak bardzo chciałam uciec od niedawnych wydarzeń w moim życiu, że stałam się zupełnie kimś innym. Wcale się przez to lepiej nie poczułam.

Tak dalej nie może być.

Muszę być znowu sobą.

Jesteśmy tylko my, jest tylko teraz. Pożegnaj żal albo w niepamięć życia przyjdzie ci odejść. Jak mantrę powtarzałam te słowa z musicalu *Rent*. Pożegnaj żal. Tak. Świetna rada.

Pytanie tylko jak?

Usłyszałam kiedyś, że sam fakt uśmiechania się może sprawić, że człowiek stanie się szczęśliwszy. W poniedziałek rano przykleiłam więc do twarzy uśmiech i zeszłam na śniadanie z silnym postanowieniem, że zapomnę o wydarzeniach z zeszłego weekendu. Uściskałam moich ojczulków, a do Lisy, która siedziała na nieużywanym przez nikogo krześle, powiedziałam grzeczne „Dzień dobry".

— Dzień dobry — odparła zdziwiona.

Sięgnęłam po babeczkę, na którą nałożyłam galaretkę winogronową, i usiadłam z wczorajszym „New York Times Magazine". Ale nie mogłam się skupić na czytaniu. Do tej pory nie miałam właściwie okazji przyjrzeć się Lisie. Swoje krótkie włosy postawiła na sztorc, a usta umalowała szminką w kolorze krwistej czerwieni. Wyglądało to tandetnie albo wysublimowanie - trudno było jednoznacznie rozstrzygnąć. Twarz miała pełniejszą, niż kiedy ją po raz ostatni widziałam, ale wokół oczu przybyło jej zmarszczek.

Śniadanie upłynęło w napięciu. Wyglądało to tak, jakby był to nasz pierwszy dzień w reality show - śledzeni czujnym okiem kamer wiedzieliśmy, że powinniśmy zachowywać się normalnie... ale już nie wiedzieliśmy, co to znaczy „normalnie". Prawie się do siebie nie odzywaliśmy i każdy rozglądał się niepewnie. Wydawało się, jakby otaczająca nas cisza potęgowała każde szczęknięcie sztućców albo szelest gazety. Ale jakoś przebrnęliśmy.

Tydzień powoli się rozkręcił i wszystko zaczęło znowu nabierać sensu. Nadal unikałam Lisy, a ona mnie. Świetnie napisałam test z algebry i jako jedyna oddałam dodatkową pracę z rozszerzonego angielskiego. Razem z Courtney i Maxem poszliśmy kupić sobie buty. Na próbach z Ty'em i Elyse nadal czułam się mało komfortowo, ale na szczęście coraz częściej udawało mi się ich ignorować.

Czułam nawet, że uśmiechanie się naprawdę działa. Im częściej to robiłam, tym szczęśliwsza się czułam. Po kilku dniach nie musiałam już nawet specjalnie pamiętać o tym, żeby się uśmiechać.

Coś cudownego

Tydzień po mojej przygodzie Andre poświęcił w końcu całą próbę na akt I, scenę 4. Do tej pory próby kręciły się wokół scen Romea i Julii, a postacie drugoplanowe dostawały tylko ograniczony czas na zaprezentowanie swoich ról. Jednak w tej scenie Merkucjo był niewątpliwie gwiazdą, a ja miałam zamiar porządnie się przyłożyć do tej roli. Miałam stanąć na środku i wygłosić długi, szalony monolog o królowej Mab, wróżce, która zaszczepia naszym śpiącym głowom sny.

W tej scenie występuje też Romeo. To, że mogłam pozbyć się wszelkich zahamowań i tańcząc wokół Ty'a, wykrzyczeć mu różne rzeczy w twarz, było swoistym oczyszczeniem.

Prawię o marzeniach,
Które w istocie niczym innym nie są
Jak wylęgłymi w chorobliwym mózgu
Dziećmi fantazji; ta zaś jest pierwiastku
Tak subtelnego właśnie jak powietrze;
Bardziej niestała niż wiatr, który już to
Mroźną całuje północ, już to z wstrętem
Rzuca ją, dążąc w objęcia południa.

Był to koniec raczej wyczerpującej, pełnej pozytywnych emocji próby, a kiedy po raz ostatni wypowiedziałam tego dnia mój monolog, ze zdziwieniem usłyszałam aplauz dobiegający z pogrążonej w ciemnościach widowni. Nie zdawałam sobie sprawy, że inni go obserwowali. Nie powinni przypadkiem robić przymiarek do kostiumów albo pomagać technikom w malowaniu czy też powtarzać swoich scen w salach? Kiedy widownia została oświetlona, okazało się, że siedziała na niej większość zespołu. Nie miałam pojęcia, jak długo oglądali.

Andre wszedł na scenę.

— Świetnie się dzisiaj spisaliście. Lucy, naprawdę doskonała robota — uścisnął moje ramię.

Nie mogłam się powstrzymać, by nie spojrzeć na Elyse siedzącą na widowni. Czyżby w jej ponurym spojrzeniu czaiła się zazdrość?

Andre zatrzymał mnie jeszcze kilka minut dłużej, żeby przekazać swoje uwagi, więc zanim się spakowałam i wyszłam, większości zespołu dawno już nie było.

Ku mojemu zdziwieniu na wyludnionym korytarzu czekał na mnie Evan.

— Hej — powiedziałam.

Uśmiechnął się i przybił mi piątkę.

— Wymiatałaś — pochwalił mnie, kiedy szliśmy na parking.

— Dzięki. Nie miałam pojęcia, że wszyscy mnie oglądali.

— Na początku nie, ale widok ślicznej dziewczyny wykrzykującej o trunkach i starej jędzy dającej erotyczne sny cnotkom był zbyt kuszący. To był czad.

Ślicznej dziewczyny? Poczułam, jak płoną mi policzki.

— Więc jesteś teraz wolna, Lucy? — rzucił Evan.

— Tak...

Skinął głową.

— Umówisz się ze mną w ten weekend?

„Czy się umówię?" Nikt nigdy mnie nie zaprosił na randkę. Jeśli chodzi o Ty'a, to jakoś tak się złożyło, że zbliżył nas do siebie wspólny czas na próbach i imprezach zespołu. Nie było oficjalnego okresu randkowania.

— Przyjechałbym po ciebie i poszlibyśmy coś zjeść, a potem obejrzelibyśmy może jakiś film?

Nigdy nie myślałam w ten sposób o Evanie, ale być może był to dobry pomysł.

— Jasne — powiedziałam. — Dlaczego nie?

~

W sobotę wieczorem Evan zjawił się po mnie punkt siódma. Wyglądał jakoś inaczej. Może dlatego, że nie miał na sobie bejsbolówki, a może to przez szarą koszulę, której jeszcze na nim nie widziałam. A może dlatego, że teraz inaczej na niego patrzyłam. To nie był już tylko Evan, nowy chłopak, który świetnie zna się na szermierce. Teraz to był Evan - chłopak, któremu się podobałam i z którym miałam spędzić wieczór.

— Wspaniale wyglądasz — powiedział.

— To bardzo miłe — odpowiedziałam, dziękując w duchu Maxowi za to, że namówił mnie na sukienkę. — Chcesz poznać moich ojców?

Evan nie miał za bardzo wyboru, ponieważ kochani tatusiowie stali już za mną, szczerząc się do niego głupio. Na całe szczęście Lisa się dziś nie ujawniała - zastanawiałam się, czy to zasługa ojczulków, że została w swoim pokoju, czy też zrobiła to z własnej woli.

Na ułamek sekundy uśmiech Evana ustąpił miejsca wyrazowi zdziwienia, kiedy dotarła do niego nasza rodzinna arytmetyka: ja + tata + tata. Przełknął to jednak szybciej niż większość innych osób, a na jego twarzy ponownie pojawił się sympatyczny uśmiech.

Przedstawiłam Evana Tacie i Papie, uścisnęli sobie dłonie, tatkowie wypowiedzieli tradycyjne: „Traktuj dobrze naszą córkę!" i wyszliśmy.

— Masz dwóch ojców — stwierdził Evan, kiedy byliśmy już w samochodzie.

— Tak, to prawda — przyznałam.

— Jak to jest? — zapytał.

Punkt za odwagę. Jeśli chodzi o przedmieścia, moje miasto było raczej liberalne, a moja rodzina zawsze była akceptowana w Eleanor Falls, ale ludzie rzadko zadawali bezpośrednie pytania o rodziców gejów. Albo nadrabiali miną i zachowywali się tak, jakby dwóch facetów wychowujących nastolatkę było najnormalniejszą rzeczą pod słońcem, chociaż zawsze wiedzieliśmy, że uważają wprost przeciwnie, albo dopiero po jakimś czasie, kiedy już lepiej nas poznali, zbierali się na odwagę, by nas o to wypytać. W przypadku Evana było jednak inaczej - nie minęło pięć minut, odkąd dowiedział się o mojej niekonwencjonalnej rodzinie, a już zadawał pytania. To było w pewien sposób orzeźwiające.

— Nie wiem nawet, jak jest inaczej — odpowiedziałam, wzruszając ramionami. — Dla mnie to naturalne.

— Jesteś adoptowana? — zapytał.

Potrząsnęłam głową.

— Nie do końca. Tylko w połowie.

Zanim skończyłam opowiadać historię taty biologicznego i taty-ojczyma, dojechaliśmy do restauracji.

Kiedy już zamówiliśmy, Evan wrócił do rozmowy i rzucił pytanie, którego jeszcze nikt mi nie zadał wprost.

— Znasz swoją biologiczną matkę?

Na to nie byłam przygotowana.

Podniosłam szklankę do ust, żeby zyskać nieco czasu do namysłu. „Czy będzie w porządku, jeśli powiem Evanowi, że Lisa wróciła, skoro nawet Courtney i Max jeszcze o tym nie wiedzą?" Może i nie, ale wiedziałam, że i tak mu powiem. Była w nim pewna otwartość.

— Tak — odpowiedziałam. — Mieszka teraz z nami.

— Czyli masz z nią normalne relacje.

— Nie do końca — odpowiedziałam i zaczęłam opowiadać nieciekawą sytuację z Lisą. — Jest już u nas tydzień, a ja wciąż nie wiem, po co przyjechała. Całkiem nieźle udaje nam się omijać szerokim łukiem.

Evan nie mógł tego pojąć.

— Dlaczego po prostu jej nie zapytasz?

Zaśmiałam się.

— Jakby to było takie proste...

— A nie jest? Pogadacie dwie minutki, usłyszysz jej wersję zdarzeń i stwierdzisz, czy warta jest twojego zachodu, czy nie. Ale tracąc całą swoją energię na unikanie jej i zastanawianie się, dlaczego do was przyjechała, nie postępujesz fair w stosunku do siebie samej — wzruszył ramionami i wsadził do ust widelec z pureé.

Gapiłam się na niego z podziwem.

— Kim ty jesteś?

— Masz na myśli: „Kim jest ten koleś, któremu wydaje się, że wszystko wie o moim życiu?".

— Mam na myśli: „Kim jest ta osoba, która widzi wszystko tak wyraźnie?". Też bym tak chciała. Zawsze wszystko analizuję w najdrobniejszych szczegółach – dlatego wciąż nie śpię. Cały czas o czymś myślę.

— Ja jestem zupełnie inny. Nigdy się nie zamartwiam. Ale to nie znaczy, że tak jest lepiej – wszystko wydaje mi się tak oczywiste, że zawsze myślę, że mam rację, co, rzecz jasna, nie jest prawdą i ciągle robię coś głupiego — stwierdził i zrobił krótką pauzę. — Wiesz co, jeśli będziemy mieć dzieci, będą niezłą mieszanką naszych skrajności.

Roześmiałam się.

— Więc planujesz już ze mną dzieci?

Uśmiechnął się.

— Sądzę, że nawet musimy je mieć. Grzechem byłoby nie powołać do życia doskonale ułożonych ekspertów elżbietańskiej szermierki, którzy z twoim uroczym uśmiechem cytowaliby Szekspira.

Po kolacji tak dobrze się bawiliśmy, że zrezygnowaliśmy z kina na rzecz przejażdżki i rozmowy. Evan opowiedział mi o San Francisco i o tym, jak po rozwodzie rodziców nie mógł zdecydować, czy chce zostać w Kalifornii z tatą, czy przeprowadzić się do Nowego

Jorku z mamą, która dostała tu pracę. Zrelacjonował, jak dołączył do koła teatralnego z kilkoma kumplami z pierwszych klas, ponieważ słyszał, że można tam poznać dziewczyny, i jak pod koniec pierwszego semestru wszyscy jego koledzy odpuścili sobie teatr, a on się niespodziewanie w nim zakochał. Rozmawialiśmy o Ty i o Sarze, byłej dziewczynie Evana.

— Co się z wami stało?

— Sara wyjechała do college'u w Seattle, ja przyjechałem tutaj i się skończyło — odpowiedział beznamiętnym tonem, wzruszając przy tym ramionami. Miałam nieodparte wrażenie, że nie powiedział mi wszystkiego.

— Kochałeś ją?

Zapatrzył się gdzieś przed siebie.

— Tak mi się wydawało.

Westchnęłam. Wiem, jakie to uczucie.

Jeszcze przez chwilę siedzieliśmy w samochodzie zaparkowanym kilka domów od mojego. Nie odzywając się do siebie, słuchaliśmy radia. To nie była jednak niezręczna cisza - nie krępowała nas. Po kilku piosenkach Evan nagle się nade mną pochylił i pocałował. Początkowo robił to delikatnie i jakby z wahaniem, ale powoli nasz pocałunek stawał się coraz bardziej głęboki i namiętny.

Dziwnie było całować kogoś innego niż Ty. Lee się nie liczył, ponieważ i tak tego nie pamiętałam. Ale Ty... Nadal mam przed oczami każdy nasz pocałunek - od pierwszego po ten ostatni. Miałam świeżo w pamięci miękkość jego ust, to jak czasami stykaliśmy się zębami i to, jak ze śmiechem kontynuowaliśmy pocałunek. Pamiętam, jak całując go, myślałam, że do końca życia nie będę chciała tego robić już z nikim innym.

Pocałunek z Evanem był inny. Nie gorszy, tylko... nowy. Podobało mi się, jak rozczesywał palcami moje włosy i podobało mi się, jak starał się raczej wczuć w mój pocałunek, niż narzucić mi swój. Reagował, a nie grał.

Chociaż udało nam się porządnie zaparować okna w samochodzie, Evan nie próbował niczego więcej. To było dobre - dzięki temu mogłam z niecierpliwością czekać na przyszłość, ale wciąż nie udało mi się pozbierać po doświadczeniach z przeszłości.

Kiedy wróciłam do domu, zastała mnie cisza. Ojcowie poszli już do siebie na górę, ale świeciła się u nich jeszcze nocna lampka - wiedziałam, że czekają, aż się u nich odmelduję, zanim pójdę spać. Spodziewali się pewnie pełnej relacji z wieczoru. Jedyne światło na parterze dochodziło z salonu. Przed udaniem się na górę poszłam je zgasić, ale zastałam tam Lisę siedzącą przy laptopie Taty.

— Przepraszam — powiedziałam. — Nie wiedziałam, że ktoś tu jest.

— Nic nie szkodzi — odpowiedziała, zamykając ekran.

Sztywno skinęłam głową i zaczęłam kierować się do wyjścia. W uszach zabrzmiała mi jednak rada Evana. Lisa nie zasługiwała na to, żeby tracić tyle energii na jej unikanie. Papa powiedział przecież, że ją wyrzuci, jeśli tylko tego zechcę. Może jutro o tej porze Lisa zniknie z mojego życia.

Powoli zawróciłam i usiadłam przed nią na krześle.

— No dobrze — stwierdziłam. — Powiedz, co masz do powiedzenia. Masz dwie minuty. I niech będą warte mojej uwagi.

W oczach dziecka

Wiem, że mnie tu nie chcesz — powiedziała Lisa, biorąc głęboki oddech. — I nie mogę cię za to winić. Szczerze mówiąc, ja też nie chcę tu być.

Jak na razie broniła się kiepsko. Ale nic nie powiedziałam. Czekałam.

— Przypuszczam, że Adam i Seth nie powiedzieli ci, dlaczego tu jestem... — W jej ustach zabrzmiało to bardziej jak stwierdzenie niż pytanie.

Zaprzeczyłam, kręcąc głową.

— Jestem w ciąży, Lucy.

Instynktownie spuściłam wzrok. Nie wyglądała, jakby miała spodziewać się dziecka.

— To już czwarty miesiąc — powiedziała, gładząc się czule po brzuchu.

Odchrząknęłam zmieszana.

— Gratulacje — wydukałam po chwili. — Ale nadal nie rozumiem, co my mamy z tym wspólnego.

— Przyjechałam do was, bo, możesz mi wierzyć lub nie, Adam i Seth to jedyne osoby, na które mogę w życiu liczyć. A ja potrzebuję waszej pomocy.

— W czym? Żadne z nas nigdy nie było w ciąży.

— Nie. Ale kiedy miałam ciebie urodzić, Adam pomógł mi... uniknąć kłopotów ze zdrowiem.

Wtedy elementy układanki połączyły się w całość. Mieliśmy ją trzymać z dala od *narkotyków*. Powinnam była się domyślić, że o to chodzi. Typowa Lisa: nieodpowiedzialna, samolubna i oczekująca, że wszyscy bez chwili zastanowienia przyjdą jej z pomocą. To ona miała problem z narkotykami, to ona zaliczyła wpadkę, ale to my mieliśmy ponieść tego konsekwencje?

— Byłam już kiedyś w ciąży — mówiła dalej. — To znaczy, nie tylko z tobą. Nawet kilka razy. Ale z różnych względów nigdy nie donosiłam. — Lisa wzruszyła bezradnie ramionami. — Tym razem chcę jednak zrobić to tak, jak należy.

Czyli: *na tobie mi nie zależało, ale na tym dziecku - tak.*

Poczułam, jakby zadała mi cios prosto w serce.

Odsunęłam się i wstałam.

— Dwie minuty minęły — powiedziałam, po czym poszłam na górę się położyć.

~

Kolejnego ranka obudziło mnie pukanie do drzwi.

— Lucy? — zapytał Tata. — Śpisz jeszcze?

— Tak! — wrzasnęłam, naciągając kołdrę na głowę. Czułam się, jakby dopiero udało mi się zasnąć.

Mimo to drzwi się otworzyły. Tata z Papą weszli i usiedli na krawędzi łóżka.

— Czyli rozmawiałaś z Lisą — powiedział Tata.

— No i? — wymamrotałam.

— Mówi, że powiedziała ci o ciąży.

Przeciągle wypuściłam powietrze i ściągnęłam kołdrę z głowy.

— Masz na myśli ciążę, za którą z pewnych względów mamy być odpowiedzialni, chociaż Lisa najwyraźniej nie ma żadnych hamulców?

Tata i Papa spojrzeli na siebie.

— Lucy — zaczął Papa — to, co ci mówiłem, jest nadal aktualne. Jeśli jej nie chcesz, już jej tu nie ma.

— To świetnie. W takim razie nie chcę jej tu.

— Ale zastanów się jeszcze, co to by oznaczało.

— Co?

— Ona już postanowiła donosić to dziecko. Jeśli ją teraz wyrzucimy, a ona znowu zacznie brać, będziemy mieć na sumieniu zdrowie tego malucha — powiedział Papa. — Obojętne, czy nam się to podoba, czy nie - jesteśmy uwikłani w całą tę historię.

To prawda…

— I pamiętaj — dodał Tata — to będzie twój przyrodni brat albo siostra.

Hmm. Mieli rację.

— Rozumiesz więc, że sytuacja jest skomplikowana i właściwie to nie mamy wyjścia — podsumował Papa.

— Tak — przyznałam po chwili. — Chyba tak.

Miałam mieć młodsze rodzeństwo. To trochę zmieniało postać rzeczy.

Urwany film

Kompletnie się pogubiłam w moich uczuciach w stosunku do Lisy - teraz nienawidziłam jej jeszcze bardziej niż przedtem, ale z drugiej strony atmosfera w domu była o wiele mniej napięta, odkąd ustaliliśmy, że zostanie z nami przynajmniej do porodu.

Po poniedziałkowej próbie opowiedziałam w końcu wszystko Courtney i Maxowi.

— Więc dlatego ostatnio zachowywałaś się tak dziwnie — powiedział Max wyrozumiałym tonem.

Cóż, po części to prawda.

— Ale dlaczego nic nam nie powiedziałaś? — zapytała Courtney.

— Przykro mi — powiedziałam — ale najpierw sama musiałam sobie z tym poradzić, żeby móc w ogóle o tym rozmawiać.

Courtney mocno mnie przytuliła.

— Zawsze masz nas, Lucy. Pamiętaj o tym.

Uśmiechnęłam się z wdzięcznością.

— Dzięki. Jesteście kochani.

— To teraz przejdźmy do części optymistycznej — Max zmienił nagle temat. — Co z Evanem?

— Przecież byliśmy tylko na jednej randce, Max. Za wcześnie o tym mówić. — Poczułam jednak, jak policzki oblewają mi się rumieńcem.

Kiedy wyszłam dziś rano ze szkoły, Evan, oparty o swój samochód, czekał na mnie na podjeździe.

— O, cześć! — powiedziałam na jego widok mile zdziwiona.

— Hej — odpowiedział, unosząc kąciki ust w uśmiechu.

Staliśmy tak jeszcze dłuższą chwilę, uśmiechając się do siebie w mgle poranka. I nagle rzuciliśmy się ku sobie, niecierpliwie przywierając do siebie ustami. Miałam nadzieję, że ojcowie nie widzą tej sceny, ale z drugiej strony tak dobrze było być znów z Evanem, że nie zaprzątałam sobie głowy sprawdzaniem, czy ktokolwiek nas obserwuje.

Kiedy w końcu się od siebie odkleiliśmy, wymamrotałam, bawiąc się kołnierzem jego kurtki:

— To... co ty tu właściwie robisz?

— Dziś rano wpadłem na genialny pomysł, żeby przywieźć ci śniadanie i odwieźć do szkoły — odparł. — Ale dopiero zatrzymując się pod twoim domem, zacząłem się zastanawiać, że może pomyślisz, że jestem jakimś psycholem, który nachodzi cię bez uprzedzenia. Nie chcę, żebyś wzięła mnie za zdesperowanego i zaborczego faceta, który nie pozwala swojej kobiecie nawet usiąść za kółkiem.

— Ależ przecież wcale cię za takiego nie biorę — odpowiedziałam ze śmiechem.

— Ale i tak nie odwiozę cię — powiedział zdecydowanie. — Każde z nas pojedzie swoim samochodem i spotkamy się w szkole.

— Nie wygłupiaj się. A poza tym to szkodliwe dla środowiska.

Evan zastanowił się przez chwilę.

— No dobra, w takim razie ty mnie odwieziesz.

Był naprawdę uroczy.

— Umowa stoi.

Nie widziłam powodu, żeby się nie zgadzać. Evan już chciał siadać po stronie pasażera.

— Czekaj — zatrzymałam go. — A co ze śniadaniem?

— Racja! — Przechylił się przez okno swojego samochodu i wyjął ze środka kilka różnych toreb. — Nie wiedziałem, co lubisz, więc mam tu kilka opcji do wyboru.

Rozłożył wszystko na masce.

— Sok pomarańczowy, słodka kawa z mlekiem, kawa bez mleka i stara dobra cola, gdybyś potrzebowała kofeiny, ale nie pijała kawy.

Z uśmiechem sięgnęłam po kawę bez mleka.

Evan z aprobatą kiwnął głową.

— Świetna decyzja. A do jedzenia mamy do wyboru, do koloru: bułkę z serkiem topionym, sałatkę owocową, pączka z marmoladą i jajka sadzone na toście.

Wybrałam bułkę i cmoknęłam Evana w policzek.

— To było bardzo miłe z twojej strony. Dziękuję.

Uśmiechnął się.

— Nie ma za co. A teraz zawieź mnie do szkoły, kobieto!

Roześmiałam się.

~

Stawaliśmy się sobie coraz bliżsi. Zaczęliśmy przesiadywać razem w audytorium i w czasie lunchu; chodziliśmy za rękę po korytarzu, przytulając się czule. Evan odpuścił sobie nawet granie na konsoli i przerwy na próbach spędzał teraz ze mną i moimi przyjaciółmi. Dzięki niemu wszystko było lepsze. Wiedział o mnie niemal wszystko, a kiedy tylko w mojej głowie narastała straszliwa gmatwanina uczuć, znał sposób, jak ją rozwikłać i sprawić, by nie była już taka przerażająca. Można powiedzieć, że w zaledwie kilka tygodni Evan poznał mnie lepiej niż Ty przez cały nasz związek. Ty'owi nigdy nie mówiłam o Lisie. A on nigdy o nią nie pytał.

Ty i Elyse oficjalnie byli teraz „pewną parką", jak ich określili moi tatkowie. Publiczne pokazy swoich uczuć wznieśli do poziomu, którego nie powstydziłaby się żadna diwa teatru. Absolutnie zawsze się całowali, dotykali i obmacywali. Ale niczym za dotknięciem czarodziejskiej różdżki im bardziej zbliżaliśmy się do siebie z Evanem, tym mniej obchodziła mnie ta para. Kilka razy przyłapałam

Elyse, jak zerka na mnie podczas tych bardziej namiętnych chwil z Ty'em. Byłam pewna, że do białej gorączki doprowadzał ją fakt, że kompletnie mnie to nie interesowało.

Pewnego piątkowego wieczoru, kiedy wychodziliśmy z kina, Evan spojrzał na mnie i w swój luzacki, a jednocześnie uroczy sposób zapytał: — Jesteś teraz moją dziewczyną?

Roześmiałam się.

— To zależy. A chcesz, żebym była?

— No jasne.

Uśmiechnęłam się.

— W takim razie jestem.

— Świetnie — powiedział wyraźnie zadowolony.

~

Spotykaliśmy się prawie miesiąc. Evan był właśnie u mnie w domu. Cała trójka: Tata, Papa i Lisa gdzieś wyszli. Byliśmy zupełnie sami. Zamknęliśmy się w moim pokoju. Grałam na gitarze, kiedy jakoś w połowie drugiego kawałka coś się wydarzyło. Nasze spojrzenia się spotkały, moje palce zastygły na strunach, odsunęliśmy gitarę i w jednej chwili mocno przywarliśmy do siebie.

Rozmawialiśmy już wcześniej o seksie, ale tylko w kontekście naszych byłych. Każde z nas swój pierwszy raz miało za sobą. Nigdy jednak nie rozmawialiśmy o tym, czy zrobimy to razem. Teraz wyglądało na to, że właśnie miało to nastąpić.

Kiedy zrobiliśmy to po raz pierwszy z Ty'em, było to wielkie wydarzenie. Przedtem rozmawialiśmy o tym miesiącami i zaplanowaliśmy chyba każdy szczegół. Miejsce, dzień, godzinę, nawet muzykę. Jak wszystko w moim życiu – także i to miało być idealne.

Jednak nie do końca wyszło tak, jak to sobie wyobrażałam. Przede wszystkim, dziwnie się czułam kompletnie naga przed chłopakiem, nawet jeśli był on tak piękny i czuły jak Ty. A część „właściwa" była już zupełnie dziwna. Jak mamy ułożyć nasze ciała?

Co robić z dłońmi? Gdzie patrzeć? Powinniśmy w trakcie rozmawiać czy pozwolić przemówić chwili?

Do tego bolało. Bardzo. Tak bardzo, że wciąż nie mogę pojąć, że ewolucja nie znalazła jeszcze rozwiązania problemu błony dziewiczej. Ani się obejrzałam, jak było po wszystkim, a ja zastanawiałam się, dlaczego wszyscy robią z seksu takie wielkie halo.

Dopiero z czasem zaczęłam to rozumieć.

Rozumiałam także teraz. Jak to jest tak bardzo kogoś chcieć, czuć, jakby magnes przyciągał wasze ciała, a im wciąż nie dość bliskości.

Podczas pocałunku Evan zanurzył dłonie w moich włosach, przyciągając mnie do siebie. Moje palce powędrowały z kolei do jego koszuli, mocując się z jej guzikami. Kiedy w końcu zsunęłam koszulę z jego ramion, zdyszani rozdzieliśmy się na krótką chwilę. Ja ściągnęłam z siebie bluzkę, Evan – T-shirt, po czym znów przywarliśmy do siebie w pocałunku, błądząc dłońmi po ciałach.

Evan był bez koszulki, a ja w staniku. Rzuciliśmy się na łóżko.

Ale kiedy Evan zaczął odpinać mi spodnie, zamarłam. Nagle przypomniało mi się, kto ostatnio to robił. Lee. Wspomnienia z tamtej nocy, kiedy kompletnie urwał mi się film, niespodziewanie wróciły ze zdwojoną mocą.

Potykając się, szliśmy do tego budynku z czerwonymi drzwiami na Spring Street.

Lee i jego dłonie z odciskami od strun.

Jego zarost, który do czerwoności drapał mi skórę.

Oddech o woni tequili i papierosów.

Odgłos moich botków, kiedy je ściągnęłam i rzuciłam na podłogę.

I to jak tamtej nocy kilka razy uprawialiśmy seks bez żadnego zabezpieczenia.

Zaraz... Co?

Kiedy pamięć podsunęła mi ostatni obraz, cała zesztywniałam i przestałam odpowiadać na pieszczoty Evana. Natychmiast wyczuł zmianę i lekko się odsunął.

— Wszystko w porządku? — zapytał z troską.

Przytaknęłam, nie otwierając oczu. Ale nie było w porządku, nie do końca.

— Zrobiłem coś nie tak?

Potrząsnęłam głową.

— To nie chodzi o ciebie — wyszeptałam.

— Lucy, jeśli nie jesteś gotowa, po prostu powiedz.

Zaczerpnęłam powietrza i usiadłam. Nie potrafiłam wymazać Lee z pamięci.

— Przepraszam — powiedziałam. — Nie mogę.

Evan uważnie mi się przyjrzał. Nie mam pojęcia, co zobaczył.

— Nie ma sprawy — odrzekł w końcu, podając mi bluzkę.

Nie mówiłam Evanowi o nocy z Lee. To była chyba jedyna rzecz, o której mu nie opowiedziałam, ale nie chciałam, żeby wziął mnie za osobę, która robi takie rzeczy. Postanowiłam więc nic więcej nie wyjaśniać. I po raz pierwszy, odkąd się poznaliśmy, on o nic nie dopytywał.

— Lepiej, żebyś już poszedł. — To były moje ostatnie słowa tego wieczoru.

Pomyśleć o sobie

Jak to się stało? Uprawiałam seks bez zabezpieczenia. Z kimś, kogo nawet nie znałam. Już sama myśl wydawała się mi się zupełnie niepojęta.

Czułam, jakbym wszystkich zawiodła. Odkąd tylko byłam na tyle duża, żeby się dowiedzieć, jak pszczółki zapylają kwiatki, wbijano mi do głowy, jak ważny jest bezpieczny seks. Nauczyciele demonstrujący zakładanie prezerwatyw, przeróżne reality show o nieszczęśliwych nastolatkach w ciąży, telewizyjne reklamy leków na opryszczkę, kampanie billboardowe na temat planowanego rodzicielstwa i… moi ojczulkowie. Można pomyśleć, że producenci prezerwatyw nieźle im zapłacili za reklamę. Początkowo byłam strasznie skrępowana, kiedy oni luźno rzucali takimi hasłami jak „kondom" czy „krem plemnikobójczy", ale kilka lat takiej otwartej dyskusji na te tematy jeszcze bardziej zacieśniło nasze relacje.

Oto nasza zeszłoroczna rozmowa o „odpowiedzialności":

TATA

Lu, chyba jest coraz poważniej między tobą a Ty'em, co?

JA

Chyba tak.

PAPA

On jest uroczy.

JA
Wiem.
TATA
wręcza mi papierową torbę
JA
wygrzebawszy z torby duże opakowanie prezerwatyw
Ale Tatooo!
TATA
Trzeba się zabezpieczać, kochanie – to niezwykle ważne. Pamiętaj – miłość bez zabezpieczenia jest pełna cierpienia.
PAPA
Masz tam także kartę podarunkową do apteki na 100 dolarów, kiedy będziesz musiała się ponownie zaopatrzyć.
JA
wciąż czerwona ze wstydu
Nikt z moich znajomych nie rozmawia na takie tematy ze swoimi rodzicami…
TATA
Bo rodzice twoich znajomych nie chodzili do klubów gejowskich w Nowym Jorku w latach 90.

Koniec sceny.

Siedziałam przy biurku, bawiąc się puklem włosów i zastanawiając się nad potencjalnymi następstwami własnej głupoty.

Ciąża? Nie. Od ponad roku biorę tabletki i kilka dni po tamtej nocy regularnie dostałam okres.

Choroby weneryczne? Zastanowiłam się chwilę nad taką możliwością, ale nie sądziłam, żebym mogła się zarazić czymś takim od Lee. To była tylko jedna noc, a ja nie miałam uczucia pieczenia w okolicach intymnych ani innych objawów. Ale z drugiej strony znałam siebie i dobrze wiedziałam, że nie będę zupełnie spokojna, nie wspominając już o przeniesieniu związku z Evanem na dalszy etap, jeśli się nie upewnię. Przynajmniej tę jedną rzecz zamierzałam zrobić, jak należy. Zaczęłam więc szukać informacji.

Jedno muszę stwierdzić: zdjęcia różnych chorób przenoszonych drogą płciową publikowane na medycznych stronach internetowych nie należą do estetycznych. Tylko one potrafią sprawić, że kondom stanie się twoim najlepszym przyjacielem na całe wieki.

W pierwszym odruchu chciałam przebadać się u mojego ginekologa w pobliskiej przychodni lekarskiej. Ale wtedy zdałam sobie sprawę, że wyniki badań trafią do mojej karty ubezpieczeniowej i ojcowie mogą się o nich dowiedzieć. Nie, żeby mieli coś przeciw badaniom, ale na pewno zaczęliby drążyć, dlaczego postanowiłam je zrobić. A takie rozmowy były absolutnie niepożądane.

Postanowiłam więc pójść do jednego z ośrodków zdrowia w mieście. Znalazłam taki, który specjalizował się w badaniach pod kątem chorób przenoszonych drogą płciową. Mogłam przejść przez to cholerstwo i mieć pewność, że nikt się nie dowie. Doskonale. To mi odpowiadało.

Rano jak zawsze wyszłam do szkoły, ale tym razem zamiast skręcić na szkolny parking, kontynuowałam podróż na południe, prosto na Manhattan. Zostawiłam auto na parkingu podziemnym i udałam się pod zanotowany na przylepnej karteczce adres w Harlemie. To był niczym niewyróżniający się trzypiętrowy budynek, na którym próżno było szukać jakichkolwiek szyldów informujących mnie, że trafiłam pod właściwy adres. Przyzwyczajona byłam do poradni mieszczących się w dużych biurowcach, wyposażonych w kontuary dla ochrony i ozdobionych roślinami doniczkowymi. To miejsce nie było ani trochę przyjemne, ale postanowiłam, że nie zniechęcę się. Nie przyszłam tu bez powodu. Nacisnęłam dzwonek domofonu i kilka sekund później drzwi zabzyczały, wpuszczając mnie do środka. Zjechałam windą piętro niżej do pozbawionej okien piwnicy i także tu musiałam powtórzyć procedurę z domofonem.

— Dzień dobry — przywitał mnie mężczyzna w rejestracji.

— Dzień dobry — odpowiedziałam cicho.

— Czym mogę służyć? — zapytał.

Nie wiedział? Czyżby wszyscy nie przychodzili tu z tego samego powodu? Patrzyłam się tylko na niego, nie chcąc wypowiedzieć *tego* głośno.

Uśmiechnął się do mnie zachęcająco.

— Przyszłaś tu na jakieś spotkanie grupowe? Po nowe igły?

Potrząsnęłam głową.

— Robicie tu badania na choroby weneryczne? — wydukałam w końcu. Dziwnie się czułam, wypowiadając to pytanie na głos.

— Tak, oczywiście — powiedział mężczyzna i podał mi długopis. — Wypełnij ten formularz — imię i pierwsza litera nazwiska. Ktoś za chwilę po ciebie przyjdzie.

Na formularzu przytwierdzonym do biurka niedbale wpisałam „Lucy M." i godzinę mojego przybycia, a następnie usiadłam w poczekalni.

Prawie wszystkie miejsca były zajęte - pomieszczenie pełne było ludzi. W większości mężczyzn. Ściany pomalowano na czerwono - pewnie po to, żeby nie było tu tak przygnębiająco. Wszędzie wisiały plakaty z hasłami w stylu: „Niespodziewana pamiątka po upojnej nocy?" i „NPSP: Noś przy sobie prezerwatywy".

Jak na uroczystym wręczeniu dyplomów kolejne osoby były wywoływane z poczekalni. Ja nadal czekałam i próbowałam na nikogo nie patrzeć. Z nerwów noga drżała mi tak mocno, że siedzący obok mężczyzna poprosił mnie, żebym się uspokoiła. Zawstydziłam się i szybko go przeprosiłam. Zauważyłam, jak oczy rozbłysły mu ciekawością, gdy spojrzeliśmy na siebie. Zastanawiał się pewnie, co tu robi nastolatka. Mnie zdumiewało to nie mniej niż jego.

Czas mijał. Próbowałam czytać skrypt, ale moje oczy i mózg jakby się rozłączyły. *Zdradne są kroki zbyt śpiesznie podjęte.* W kółko czytałam ten sam wers, tępo przewiercając oczyma każde pojedyncze słowo i nie będąc w stanie pojąć ich znaczenia. Wywołali mnie dopiero po trzech godzinach.

Kobieta w średnim wieku zaprowadziła mnie do „gabinetu wywiadu lekarskiego". Miała na sobie białe spodnie i biały żakiet, ale ponieważ przedstawiła się po prostu jako „Marie" i obwieszona była tandetną złotą biżuterią, doszłam do wniosku, że chyba nie jest lekarką. Gabinet pełen był urządzeń medycznych, a ściany obwieszone plakatami. „Powrót kiły!" - krzyczało hasło na jednym z nich. Marie wskazała mi miejsce przy biurku, a sama usiadła po drugiej jego stronie.

— Lucy — zaczęła energicznie, z radosnym uśmiechem na twarzy — powiedz, co cię tutaj sprowadza?

— Chciałam zrobić badania na choroby weneryczne — odpowiedziałam niepewnie, nie rozumiejąc, dlaczego wciąż się o to pytali.

Marie przytaknęła.

— Jak sądzisz, jakie są szanse, że będziesz miała dodatni wynik?

— Raczej niewielkie. Ale chcę być pewna.

— To bardzo mądrze z twojej strony. Dobrze, zaczynajmy. Zadam ci kilka pytań. Będę zapisywała twoje odpowiedzi, ale są one tylko do naszej wiadomości - wszystko, co mi powiesz, zostaje między nami, więc odpowiadaj jak najprecyzyjniej i niczego nie ukrywaj.

Kiwnęłam głową.

— Na początek muszę ci zadać pytanie, co zrobisz, jeśli twój wynik na HIV będzie dodatni. Takie są przepisy — zaczęła z długopisem przygotowanym do zapisania odpowiedzi.

Zamrugałam.

— Nie rozumiem. Co masz na myśli?

— Jeśli twój wynik będzie dodatni, jak zareagujesz? — zapytała jeszcze raz.

Co to za pytanie? Skąd ktoś może wiedzieć, jak zareaguje, jeśli nie znalazł się jeszcze w takiej sytuacji? Mogła równie dobrze zapytać, co bym zrobiła, gdybym obudziła się i zobaczyła, że mój dom stoi w płomieniach. Natychmiast bym z niego wybiegła? A może najpierw zadzwoniła pod numer alarmowy? Albo zaczęła szukać kota? Włożyła buty? Rzuciła się zbierać to, co najcenniejsze? Dopóki nie znajdziesz się w płonącym budynku i nie poczujesz, jak ogień parzy ci skórę, tak naprawdę nie masz pojęcia, jak zareagujesz.

— Nie wiem — odpowiedziałam zgodnie z prawdą.

— Muszę tu coś wpisać. Podaj pierwszą odpowiedź, która przychodzi ci do głowy — powiedziała Marie, machając przy tym niedbale ręką, jakby dobrze wiedziała, jak głupie jest to pytanie.

— Myślę, że postarałabym się jak najlepiej z tym sobie poradzić — stwierdziłam.

— Dobrze — powiedziała Marie, wpisując tę odpowiedź do formularza. — Jesteśmy zobligowani o to pytać, ponieważ zdarzają się osoby, które mówią, że zrobią krzywdę sobie lub komuś innemu, a takie odpowiedzi musimy przekazać dalej. No to kolejne pytanie. Z iloma osobami w zeszłym roku współżyłaś?

— Z dwoma.

— Uprawiałaś seks za pieniądze, narkotyki, ubrania?

Co do...?

— Nie.

— Czy uprawiałaś seks z mężczyzną, który współżyje z mężczyznami?

Rany, nie miałam pojęcia, że te pytania będą tak osobiste. Nie czułam się ani trochę komfortowo, siedząc w tym dziwnym pokoju, w tym dziwnym budynku i odpowiadając na dziwne pytania tej dziwnej kobiety. Ale odpowiadałam.

— O ile mi wiadomo - nie.

— Czy byłaś ofiarą przemocy na tle seksualnym?

Padło jeszcze wiele krępujących pytań w tym stylu. Czułam, jak na każdą kolejną wzmiankę o seksie „oralnym", „pochwowym", „analnym" czy też „grupowym" policzki robią mi się coraz bardziej gorące.

Rozmowa trwała jeszcze ponad dwadzieścia minut. Na większość pytań odnoszących się do takich kwestii, jak narkotyki czy ciąża mogłam natychmiast odpowiedzieć przecząco. Ale niektóre z nich już bezpośrednio mnie dotyczyły.

Czy w zeszłym roku współżyłaś bez zabezpieczenia?
Czy współżyłaś pod wpływem alkoholu?
Czy współżyłaś z osobą, która nie była twoim regularnym partnerem?
Czy współżyłaś z nieznaną ci osobą?
Czy współżyłaś z osobą przyjmującą narkotyki w iniekcjach?

Z każdą twierdzącą odpowiedzią robiłam się coraz bardziej zdenerwowana. Tych pytań nie zadają bez powodu. One padają, ponieważ mają związek z chorobami przenoszonymi drogą płciową. Zaczęło do mnie docierać, że z każdą twierdzącą odpowiedzią rośnie prawdopodobieństwo, że rzeczywiście mogłam się czymś zarazić. Pod koniec rozmowy byłam w kompletnej rozsypce.

Marie poprosiła, żebym usiadła na innym krześle. Rękę oparłam na miękkim podłokietniku. Bez żadnego ostrzeżenia wbiła mi igłę w żyłę i pobrała trzy ampułki krwi.

— Jedna do badania na kiłę i jedna na wirusowe zapalenie wątroby typu C. A trzecia na badanie potwierdzające HIV, o ile będzie ono konieczne — wyjaśniła. — A teraz próbka do testu na chlamydię i rzeżączkę. — Marie podała mi mały pojemniczek i kazała udać się do łazienki po drugiej stronie korytarza.

— Wypełnij go, szczelnie zamknij, a następnie przynieś z powrotem.

Bardziej krępujące od oddawania moczu do pojemniczka może być tylko maszerowanie z tą cieczą przez cały ośrodek na oczach pracowników. Kiedy przechodziłam korytarzem, kilka osób uniosło wzrok znad komputerów. Niektórzy uśmiechnęli się do mnie z pobłażaniem. Przynajmniej miałam takie wrażenie. W chwili kiedy zobaczyli, co niosę, większość z nich szybko odwracała wzrok. Wmawiałam sobie, że mocz w pojemniczku to dla nich codzienny widok. Ale wcale nie poczułam się dzięki temu lepiej. Czułam upokorzenie.

Kiedy przekazałam Marie pojemniczek, ona podała mi mały plastikowy patyczek z wyściełaną końcówką. Trochę przypominał test ciążowy. Spojrzałam na nią zmieszana.

— To na szybki test na HIV — wyjaśniła. — Uśmiechnij się, jakbyś myła zęby, i przetrzyj tym patyczkiem swoje zewnętrzne dziąsła, u góry i u dołu.

Postąpiłam, jak mi kazała, i po chwili oddałam jej patyczek. Marie umieściła go w małym urządzeniu i oznajmiła, że wynik będzie za pół godziny. Po resztę wyników miałam zadzwonić za dziesięć dni.

~

To było najdłuższe pół godziny w moim życiu. Utknęłam w mniejszym i bardziej ponurym pomieszczeniu przeznaczonym dla oczekujących na wyniki testu na HIV. Nieustannie wierciłam się na pomarańczowym plastikowym krzesełku, nie potrafiąc skoncentrować się na niczym innym poza obecnymi osobami i na zegarze.

W odległym rogu poczekalni pewna umęczona życiem kobieta w tandetnej peruce próbowała zająć czymś swoje dwa bachorki. Kilka miejsc dalej siedziała para, która na pierwszy rzut oka wyglądała na stałych bywalców tego miejsca – kobieta musiała przynajmniej od tygodnia nie zmywać makijażu, który pod oczami utworzył czarne obwódki. Oboje mieli wyraźne ślady po wkłuciach na ramionach. Siedzieli wtuleni w siebie nawzajem, jakby czerpali od siebie soki witalne. W przeciwległym rogu siedział przygarbiony mężczyzna. To była zdecydowanie najstarsza osoba w poczekalni. Mężczyzna miał zwichrzone kępki siwych włosów, oczy zasłonił ogromnymi okularami słonecznymi chyba jeszcze z początku lat 80. Jego dłonie były mocno spracowane i pomarszczone. Z pewnością nie była to osoba, którą człowiek spodziewałby się zastać w takim miejscu. Obok mnie z rękami skrzyżowanymi na piersiach siedział w niedbałej pozie wychudzony blady chłopak, na oko starszy ode mnie tylko o kilka lat. Na oczy głęboko nasunął kaptur fioletowej bluzy. Oddychał miarowo. A może spał?

Włożyłam do uszu słuchawki. Musiałam odwrócić uwagę. Muzyka rozbrzmiała w mojej głowie, a ja w wyobraźni zaczęłam odgrywać musical *A Chorus Line*. Właśnie takiemu zajęciu oddawałam się podczas długich podróży kolejką albo jako nocny więzień mojej chronicznej bezsenności. Zabrzmiały słowa pierwszej piosenki, a ja nie byłam w stanie dość szybko jej przełączyć. *Boże, obyśmy go dostali. Obyśmy go dostali* – śpiewał zespół. Nie było to do końca życzenie, którego potrzebowałam w tej właśnie chwili.

Przerzuciłam się na bardziej odpowiednich *Nędzników* i po raz dziesiąty w ciągu ostatniej minuty sprawdziłam wyświetlane numerki. Uparcie tkwiły w miejscu, torturując mnie i śmiejąc mi się w twarz za każdym razem, kiedy na nie spojrzałam. Wciąż przyjmowano pacjentów o numerach od 60 do 64. Obrzuciłam wyświetlacz wzrokiem pełnym pogardy i po raz kolejny zmusiłam się, żeby nie patrzeć – tym razem tylko po to, żeby z przerażeniem stwierdzić, że czarny tusz na miętoszonym w mojej spoconej dłoni świstku zaczął się mocno rozmazywać. Gorączkowo odkleiłam go od wnętrza dłoni, usiłując uratować litery przed kompletnym rozmazaniem. Nie było tam zbyt wiele treści, ale ten niewielki skrawek krył w sobie wiadomość, która w tej chwili była jedyną rzeczą, która się dla mnie liczyła.

DANE OSOBOWE: LUCY M.
WIEK: 16
NUMER: 68

Wygładziłam papierek i rozprostowałam na nodze do wyschnięcia. Jeśli wciąż ściskałabym go w spoconej dłoni, druk zupełnie by się rozpłynął – Marie ostrzegła mnie, że bez tego papierka pracownik społeczny nie poda mi wyniku. Nie było mowy, żebym jeszcze raz miała przechodzić przez tę całą procedurę oczekiwania, rozmowy i badań tylko po to, żeby otrzymać kolejny świstek.

Po dłuższej chwili numerki się zmieniły. Teraz obsługiwano pacjentów o numerach od 65 do 68.

Nareszcie moja kolej.

Poznać prawdę

Pracownik ustawił nas w małym korytarzyku po kolei według otrzymanych numerków. Pierwszy był starszy pan, za nim młody chłopak, potem kobieta z dziećmi, a na końcu ja.

Z gabinetu wyszła ubrana w staromodną garsonkę kobieta z burzą loków na głowie i poprosiła pierwszą osobę. Siedzieli w środku przez nie więcej niż trzy minuty, po czym starszy pan wyszedł z ulgą wypisaną na twarzy. To samo powtórzyło się z chłopakiem. Kiedy wyszedł, chwycił garść darmowych prezerwatyw z pojemnika i napchał sobie nimi kieszenie. Następnie wezwano kobietę.

— Możesz ich popilnować?

Dłuższą chwilę zajęło mi zrozumienie, że to pytanie było skierowane do mnie.

— Słucham? — powiedziałam.

— Rzucisz okiem na dzieci?

Spojrzałam na dwóch małych chłopców. Jeden miał około czterech lat i z rozłożonymi rękoma biegał po korytarzu, udając samolot. Drugi miał może dwa latka i uparcie próbował wydostać się ze spacerówki. Zajmowanie się nimi było ostatnią rzeczą, której w tym momencie potrzebowałam.

— Eee... — zająknęłam się, usilnie starając się wymyślić przyczynę, dla której nie mogłabym popilnować dzieciaków, ale mózg nie chciał ze mną współpracować. — Nie ma sprawy.

— Świetnie — powiedziała i zniknęła w gabinecie.

Kiedy tylko chłopcy zorientowali się, że są sami z obcą osobą, przestali się kręcić i utkwili we mnie szeroko otwarte oczy.

— Cześć — powiedziałam, siląc się na fałszywą wesołość w głosie. — Jestem Lucy. A wy?

Cisza.

— Jaki jest wasz ulubiony kolor? — Spróbowałam kolejnego pytania, dobrze wiedząc, że nie jest ono najmądrzejsze. Nie miałam doświadczenia z dziećmi. Nigdy nie byłam niańką.

— Gdzie jest moja mama? — zapytał starszy chłopiec.

— Mamusia za chwilę wróci, jak tylko skończy rozmawiać z panią w tym pokoju.

— Dlaczego?

Hmm.

— Ta pani ma dla niej pewną wiadomość.

— Dlaczego?

Westchnęłam.

— Nie mam pojęcia.

— Czy ty też będziesz rozmawiać z tą panią?

— Tak.

— Dlaczego?

Że też zawsze pakuję się w takie sytuacje.

— To długa historia.

— Lubię historie — powiedział.

— To historia dla dorosłych.

Chłopczyk zaczął mi się przyglądać.

— Czy ty jesteś dorosła?

— Ja…

Dobre pytanie. Absolutnie pod żadnym względem nie czułam się teraz jak dorosła osoba.

W końcu kobieta wyszła z gabinetu i zabrała dzieci. Nawet mi nie podziękowała. Stałam bezmyślnie wpatrzona, jak znikają w drzwiach wyjściowych.

— Numer sześćdziesiąt osiem?

Odwróciłam się – kobieta z gabinetu patrzyła na mnie wyczekująco. Tylko ja zostałam.

Zaczerpnęłam powietrza i weszłam za nią.

~

— Diane Sullivan, pracownik socjalny — przedstawiła się i wyciągnęła dłoń. — Miło cię poznać. — Wzięła ode mnie karteczkę i sprawdziła w papierach. — Lucy M.

Uścisnęłam jej dłoń i usiadłam.

Kiedy Diane przeglądała moją kartę, serce biło mi jak oszalałe. Nigdy nie wierzyłam w zdolności parapsychologiczne ani jasnowidztwo, ale w tej chwili ogarnęło mnie silne przeczucie. W pewien sposób *wiedziałam*, że coś jest nie tak. Czułam to.

Diane spojrzała mi prosto w oczy. Jej twarz nie zdradzała żadnych emocji.

— Lucy, szybki test na HIV wykazał wynik odczynowy — powiedziała spokojnym głosem.

Wlepiłam w nią wzrok. Co to ma znaczyć? Czy nie wiedziała, że nie czas teraz na zagadki?

— Odczynowy? — powtórzyłam.

— Tak. To oznacza, że wynik twojego testu wstępnego jest dodatni.

Dodatni. To słowo już rozumiałam.

Z mojego gardła wydobył się bezwiedny bulgot i nagle cały świat zaczął mi się walić na głowę, zapadać do środka. Gwałtownie wcisnęłam głowę między kolana.

Dodatni.

Nie mogłam oddychać.

„Dlaczego nie mogę oddychać?" — pytałam demony obecne w pomieszczeniu. Utkwiły we mnie swoje czarne lśniące ślepia. Czułam je. — „Gdzie jest powietrze? Co zrobiliście?"

Demony nie odpowiedziały. Tylko na mnie patrzyły. Osądzając. Knując.

Na plecach poczułam dotknięcie. Skoczyłam jak oparzona.

— „Nie dotykajcie mnie!" — wrzasnęłam na demony, wykorzystując tym samym ostatnią porcję powietrza w płucach. — „Chcecie mnie zabić!"

Ale głos, który mi odpowiedział, nie pasował do tego obrazka. Nie mówią tak chciwe i złe twarze demonów.

— Lucy, oddychaj ze mną. Wdech… wydech…

„Skąd znają moje imię?"

A jednak posłuchałam. Nie miałam wyjścia.

— Wdech… wydech… Dobrze… wdech…

Zachłysnęłam się powietrzem i zakrztusiłam. Tlen, który właśnie dotarł do komórek mojego ciała, miał uspokajające działanie.

— Świetnie, Lucy. Wdech… wydech…

Po kilku minutach byłam w stanie usiąść. Otworzyłam oczy. Demony zniknęły. Albo się schowały.

Diane wróciła.

Znów mogłam normalnie oddychać i nie musiałam już skupiać całej uwagi na walce o kolejną porcję powietrza. Rozbolał mnie brzuch.

— Wszystko w porządku, Lucy? — zapytała niewytrącona tym z równowagi Diane.

„Nie. Oczywiście, że nie".

Ale byłam na tyle przytomna, żeby zrozumieć, że pytała o mój stan w tej chwili, a nie ogólny. Przytaknęłam.

— Mamy wiele do omówienia — ponownie przejrzała moją kartę, zatrzymując się na moich odpowiedziach zapisanych przez Marie. — Przy twoich zachowaniach wysokiego ryzyka jest niezwykle ważne, abyś zmieniła kilka rzeczy w swoim życiu i nie narażała innych na zakażenie — powiedziała Diane i podniosła na mnie wzrok. — Bardzo ważne jest także solidne wsparcie innych osób, które pomogą ci poradzić sobie z nową sytuacją. Wiesz już, z kim porozmawiasz o wyniku?

Przestałam słuchać Diane i jej rutynowej gadki.

„Moje zachowania wysokiego ryzyka? Nie mam zachowań wysokiego ryzyka. Popełniłam tylko jeden głupi błąd. Nie zasługuję na to".

Nagle poczułam, że nie wytrzymam w tym przeklętym pokoju ani sekundy dłużej.

Odsunęłam się na krześle i wybiegłam. Diane zaczęła za mną krzyczeć, ale nie zwracałam na to uwagi. Przebiegłam przez korytarz, przez poczekalnię, pierwsze drzwi, po schodach w górę, przez drugie drzwi i z powrotem byłam w rzeczywistym świecie. Nie obchodziły mnie ciekawskie spojrzenia ludzi. Mój wygląd był mi obojętny. Biegłam przed siebie.

Gnałam tak, dopóki nogi nie odmówiły mi posłuszeństwa. Dopiero wówczas zwolniłam. Rzuciłam okiem na numer budynku. Minęłam tak ponad czterdzieści domów. Ale szłam dalej.

Czułam pustkę w środku. Tylko tak to można nazwać. Nie byłam w stanie myśleć ani płakać. *Dodatni.* Jakby to słowo było swoistym zaklęciem, które zadziałało dopiero wypowiedziane na głos. Diane wyssała ze mnie cały rozsądek, nadzieję i życie. Jedyne, co we mnie zostało, to głuchy pień ciała i umysł, który nie chciał myśleć.

Nie zatrzymywałam się.

W Nowym Jorku jest coś, co pozwala ci po prostu *być.* Nie ma potrzeby tworzenia pozorów, zakładania masek. Możesz spokojnie być sobą. Budynki to twoi obrońcy, a ulice – liny bezpieczeństwa. Ludzie... nigdy więcej ich nie zobaczysz. Nie widzisz ich, nawet kiedy są tuż przed tobą. No może nie do końca. To tak, jakby oni cię zupełnie nie widzieli. Nowy Jork jest cudownie anonimowy.

Kiedy jedna fala nowojorczyków znikała w podziemiu metra, wyłaniała się kolejna. Zatrzymałam się na chwilę, żeby ich poobserwować. Każdy gdzieś szedł, miał jakiś cel.

Poza mną. Wciąż czułam się pusta.

Słońce już zaczęło zachodzić, kiedy poczułam w torebce wibracje. Zignorowałam je.

Przeszłam obok bezdomnego mężczyzny. Czytał grubą książkę, a na kocu obok niego leżał pies. Bez wahania dałam temu człowiekowi wszystkie moje pieniądze. Pięćdziesiąt sześć dolarów i dziewięćdziesiąt trzy centy.

— Niech Bóg cię błogosławi — powiedział.

„Trochę na to za późno" — odpowiedział głos w mojej głowie.

Jakoś udało mi się dotrzeć do podziemnego parkingu. Jakoś wsiadłam do samochodu i odpaliłam silnik. I jakoś dotarłam do domu.

W nieswoim ciele

Wcześnie wróciłaś — radośnie stwierdził Tata.

Naprawdę? Czułam, jakby minęły całe wieki, odkąd ostatni raz byłam w domu.

— Próba wcześniej się skończyła?

„Właśnie. Próba. To tam byłabym teraz, gdyby wszystko było jak zwykle".

Tata spojrzał na mnie badawczo.

— Dobrze się czujesz? — zapytał z troską, kładąc mi dłoń na czole.

„Nie, Tato" — chciałam powiedzieć.

— Odpowiedz, Lucy. Jesteś chora?

„Ha, ha. Chora. Bardzo zabawne".

Dopiero po chwili zdałam sobie sprawę, że się śmieję. Na głos. Histerycznie. Szaleńczo.

Tata sięgnął po telefon.

— Seth, jedziesz już do domu? Coś się dzieje z Lucy... Nie, nie wiem... Wróciła wcześniej, dziwnie się zachowuje, jest bardzo blada... Nie wiem. Dobra, do zobaczenia.

Tata postawił przede mną szklankę wody.

— Pij — rozkazał.

Wciąż zanosiłam się śmiechem. Nie chciałam, ale nie mogłam przestać. Wcisnął mi szklankę w dłoń i uniósł do ust.

— Pij — powtórzył.

Udało mi się przełknąć łyk wody. Była zimna i czułam, jak spływa wewnątrz mojego ciała.

Mojego ciała. Mojego zatrutego, splamionego ciała.

Targający mną chichot przerodził się w końcu w głębokie, zawodzące łkanie.

— Lucy, powiedz coś. Co się dzieje? — dopytywał Tata.

Przełknęłam ślinę i szczękając zębami, próbowałam coś z siebie wydusić.

— Ja... mam... — zaczęłam. „Ale co właściwie mam powiedzieć?"

Wynik dodatni. Nie potrafiłam powiedzieć tego na głos.

— Chyba mam grypę — udało mi się wydukać. — Muszę się położyć.

— Masz gorączkę. Majaczysz — powiedział zaniepokojony Tata. — Zadzwonię do lekarza, może cię jeszcze dziś przyjmie.

Energicznie potrząsnęłam głową.

— Żadnych lekarzy! Nic mi nie jest. — Zanim zdążył zaprotestować, pobiegłam do siebie na górę.

„Jesteś głupim, rozpuszczonym bachorem" — powtarzałam sobie w kółko.

Wiedziałam, że winić mogę tylko siebie. To, że wyszłam z Lee, mogłam jeszcze zwalić na Lisę, Ty'a i Elyse, którzy sprawili, że kompletnie się pogubiłam w moich uczuciach i w życiu. Ale nikt nie wepchnął mnie wtedy do łóżka Lee. To była *moja* wina.

Miałam wszystko. A kiedy tylko kilka rzeczy poszło nie po mojej myśli, uciekłam i wpadłam w histerię jak jakaś dwulatka. Oczywiście, że spotkała mnie kara. Tak dzieje się z dziećmi, które histeryzują i myślą tylko o sobie.

Odcięłam się od świata. Cały wtorek i środę przesiedziałam w pokoju, nie wytykając nosa na zewnątrz. Nie poszłam ani do szkoły, ani na próbę. Nie zadzwoniłam do Evana, Andre, Maxa ani do Courtney, którzy wciąż do mnie wydzwaniali. Nie słuchałam muzyki ani nie włączałam telewizora. Nie otworzyłam książek ani się nie myłam. Prawie nic nie jadłam. Prawie nie spałam. W mojej głowie roiło się od pytań, na które nie znałam odpowiedzi:

Czy będę miała AIDS?

Czy umrę?

Czy ojcowie mnie znienawidzą?

Czy przyjaciele się ode mnie odwrócą?

Czy będę mogła jeszcze uprawiać seks?

Czy będę mogła mieć dzieci?

Czy wystąpię na Broadwayu?

Czy będę musiała brać leki?

Czy ktoś mnie jeszcze pokocha?

Nie wiem, jaki to był dzień tygodnia. Może kończył się wtorek? Ale z pewnością był to środek nocy. W domu było ciemno i panowała w nim absolutna cisza.

Wyszłam z łóżka i zapaliłam wszystkie światła w pokoju. Zdjęłam piżamę, a następnie zupełnie naga i bezlitośnie oświetlona stanęłam przed moim wielkim lustrem. Dziewczyna, która się na mnie patrzyła, nie była mną. Była klonem mojej osoby, idealnym niemal w każdym szczególe, łącznie z maleńkim pieprzykiem na lewym biodrze i cienką blizną na lewej dłoni. Ale skóra tej dziewczyny była cienka jak pergamin, a w świetle wydawała się niemal przezroczysta.

Od środka też nic się nie zgadzało.

~

W środę wieczorem Max i Courtney postanowili jednak odwiedzić mnie w domu. Było cicho i słyszałam całą rozmowę, która toczyła się na parterze.

— Cześć, wchodźcie — powiedział Tata.

— Jest Lucy? Nie było jej w szkole trzy dni — stwierdził z troską w głosie Max.

— Nie odbiera telefonu — dodała Courtney.

— Była chora — odpowiedział Tata i bezskutecznie spróbował zniżyć głos. — A tak między nami: sądzę, że może chodzić o coś innego. Czy stało się ostatnio coś, co spowodowało, że Lucy nie chce chodzić do szkoły?

— Nic nie przychodzi mi do głowy — stwierdziła Courtney.

— Mnie też — powiedział Max.

— Czekajcie… Powiedzieliście: „trzy dni"? W poniedziałek też jej nie było? — zapytał Tata.

— Nie przyszła — potwierdził Max.

Przez chwilę nic nie słyszałam. Może rozmawiali zbyt cicho albo nie rozmawiali w ogóle. Do Taty docierało pewnie to, że właśnie w dniu, kiedy wróciłam do domu w totalnej rozsypce, nie było mnie w szkole. To nie miało znaczenia. Co może zrobić? Dać mi szlaban?

— Możemy się z nią zobaczyć? — zapytała Courtney.

Po dłuższej chwili Tata powiedział:

— Sprawdzę najpierw, czy chce kogokolwiek widzieć.

Kilka sekund później Tata wszedł do pokoju.

— Max i Courtney przyszli do ciebie.

Przewróciłam się na drugi bok, odwracając do niego plecami.

— Żadnych gości — wymamrotałam.

— Kochanie, oni się martwią o ciebie. Może poczułabyś się lepiej, gdybyś porozmawiała z przyjaciółmi.

— Żadnych gości — powtórzyłam i zakryłam twarz poduszką, gasząc światło.

Tata postał jeszcze przez chwilę, a następnie wyszedł. Nie słuchałam nawet tego, co im odpowiedział.

Gdybym powiedziała prawdę rodzinie i przyjaciołom, wszystko by się zmieniło. Patrzyliby na mnie inaczej. Traktowali inaczej. To przecież oczywiste — byłam inna. Ale teraz tylko ja o tym wiedziałam. I tak było najbezpieczniej. Gdyby świat poza mną był równie dziwny, jakim stał się już świat wewnątrz mnie, nie wiem, co bym zrobiła.

Z drugiej strony, skoro nikt nie wiedział, wciąż wszyscy widzieli we mnie dawną Lucy. Ale jak masz grać siebie, skoro już nie istniejesz?

~

Ponieważ uparcie wzbraniałam się przed wizytą u lekarza, ojcowie odpuścili i stwierdziwszy, że nic mi nie jest, posłali jak gdyby nigdy nic do szkoły.

Kiedy w czwartek rano parkowałam na swoim stałym miejscu, zastałam Maxa stojącego ze skrzyżowanymi ramionami opierającego się o samochód. Zgasiłam silnik i wysiadłam, ale on ani drgnął. Patrzył tylko na mnie zza swoich staromodnych lustrzanych okularów.

— Hej — powiedziałam niepewnie.

— Naprawdę? To wszystko, co masz do powiedzenia? — zapytał nieco poirytowany.

— O co ci chodzi?

— Zniknęłaś, Luce. Żadnych telefonów, SMS-ów, wiadomości na Facebooku, żeby dać innym znać, że żyjesz. Wiedziałem, że dziś wracasz tylko dlatego, że twoi ojcowie mi powiedzieli. Co się z tobą dzieje, do cholery? — ofuknął mnie wciąż urażony.

— Byłam chora — odparłam.

— Byłaś taka chora, że nie miałaś siły podnieść telefonu i dać nam znać, że nie będzie cię na próbie? Tak traktujesz przyjaciół? Martwiliśmy się o ciebie.

— Przepraszam. To się już nie powtórzy.

Max westchnął.

— Chodzi o Lisę? — zapytał nieco łagodniejszym tonem.

— Nie.

— Więc co, do cholery?

— Nic. Daj mi na razie spokój, okej? — Zaczęłam zmierzać w kierunku wejścia. — Chodźmy już, bo się spóźnimy.

W chwili gdy weszliśmy do sali koła teatralnego, wszyscy umilkli. Czas się zatrzymał, a ja stałam jak zwierzę w zoo. Jak jakiś dziwoląg w klatce.

„Widzą to — szeptał głos w mojej głowie. — Nie uda ci się tego ukryć. Oni wiedzą".

Musiałam się stamtąd wydostać.

Powoli obróciłam się z powrotem do drzwi. Musiałam tylko przejść przez korytarz, wyjść ze szkoły, wsiąść do samochodu i uciec od ciekawskich spojrzeń. Nauka w domu nie byłaby taka zła…

Wtedy nagle, jakby na komendę, wszyscy odezwali się jednocześnie. „O rany, Lucy, jak się czujesz?", „Gdzie byłaś?", „To nie było fajne, Lucy. Nie masz nawet dublera!"

Moment… chyba jednak nie wiedzieli.

— Niektórzy myśleli, że nie żyjesz — powiedziała Elyse złośliwie, ale nie zrobiło to na mnie żadnego wrażenia.

Mój mózg zdawał się nie nadążać za tym, co słyszy. Wszyscy zachowywali się tak tylko dlatego, że nie było mnie kilka dni? To było śmieszne! Inni wciąż nie chodzili do szkoły, bo byli chorzy albo zbyt zestresowani. Fakt, że od ósmej klasy dostawałam wyróżnienie za obecność na lekcjach, nie oznaczał, że nie mam prawa do przerwy.

Ale oni naprawdę nie mieli pojęcia. Nie wiedzieli. Odczułam prawdziwą ulgę.

Courtney patrzyła na mnie z drugiego końca sali. Nie wiedziałam, jak mam rozumieć jej wyraz twarzy - wyrażała coś pomiędzy złością a wątpliwością, ale zanim udało mi się do niej przedostać i porozmawiać, ktoś odwrócił moją uwagę.

Tuż przede mną wyrósł Ty i zagadał... po raz pierwszy od naszego zerwania.

— Witaj z powrotem — powiedział. — Brakowało nam tu ciebie.

— Nie wszystkim — powiedziałam, kiwnąwszy głową w kierunku Elyse.

— No, prawie wszystkim — przyznał z przepraszającym uśmiechem. — Ale ja mówię szczerze - bez ciebie to nie było to samo.

Poczułam, jak pali mnie spojrzenie jego ciemnych oczu i przez krótką chwilę pomyślałam, że może miał na myśli coś więcej, nie tylko sztukę. Ale wtedy na nadgarstku poczułam uścisk ciepłej dłoni, która pociągnęła mnie na korytarz.

— Wszystko w porządku? — wyszeptał Evan, gdy byliśmy już sami.

Przytaknęłam słabo.

Wziął głęboki oddech.

— Widzisz... jeśli już mnie nie chcesz, po prostu mi powiedz. Poradzę sobie z tym.

Zamrugałam, nie rozumiejąc, o co mu chodzi.

— O czym ty mówisz? — zapytałam.

— Mówię o tym, co zdarzyło się w zeszły weekend u ciebie. Dziwnie się rozstaliśmy, a potem na prawie tydzień zapadłaś się pod ziemię.

— Czekaj... Myślisz, że to przez ciebie? — Mimowolnie lekko się uśmiechnęłam.

— A nie? — Evan zapytał niepewnie.

— Oczywiście, że nie.

— Więc co się stało?

— Byłam chora.

Evan czekał, aż powiem coś więcej, ale ja nie miałam już siły - to było dla mnie zbyt wiele.

— Więc wciąż ci się podobam?

— Wciąż mi się podobasz — potwierdziłam zgodnie z prawdą.

Ale kiedy tylko wypowiedziałam te słowa, zrozumiałam, że powinnam była skłamać.

Zderzenie z rzeczywistością

Oto, co wiedziałam o HIV:

1. To wirus wywołujący AIDS.
2. Można się nim zarazić przez niezabezpieczony kontakt płciowy oraz korzystanie z używanych igieł.
3. Jest nieuleczalny.

Nie było tego zbyt wiele – musiałam uzyskać więcej informacji. Dlatego też w ten weekend, kiedy wszyscy już się położyli, zaczęłam buszować w internecie. Wystarczyło wpisać kilka haseł, aby się przekonać, że jeśli chodzi o HIV i AIDS, internet stanowi prawdziwą kopalnię wiedzy; a do tego studnię bez dna pełną przygnębiających statystyk. Ale nie byłam w stanie wyłączyć przeglądarki. Wraz z nowymi informacjami moje szanse na zdrowie zdawały się niknąć. Przynajmniej znalazłam odpowiedzi na niektóre pytania.

Dowiedziałam się, że poza seksem i przyjmowaniem narkotyków w iniekcjach do zakażenia wirusem HIV dochodzi przy karmieniu piersią oraz w okresie okołoporodowym, co oznacza, że matka przenosi wirus na własne dziecko. A więc nie – nigdy nie będę mogła urodzić.

Dowiedziałam się, że u większości zakażonych AIDS pojawia się w ciągu dziesięciu lat. W niektórych przypadkach okres ten jest dłuższy; w innych – o wiele krótszy. A więc tak – w pewnym momencie, najprawdopodobniej przed trzydziestką, zachoruję na AIDS.

Dowiedziałam się, że w latach 1981–2006 AIDS zabiło ponad 25 milionów osób, a po 2006 roku kilka kolejnych milionów. A więc tak – umrę. I nie tak, jak umiera większość ludzi, przeżywszy swoje superdługie życie i nacieszywszy się dziećmi, wnukami i prawnukami. Ja miałam umrzeć w młodym wieku, a do tego w wybitnie tragiczny sposób.

Czytałam dalej i dowiedziałam się, jak wyglądać może moja śmierć. Nagle słowa z musicalu *Rent*, które tyle razy nuciłam: *Czy utracę moją godność? Czy ktoś się mną przejmie? Czy jutro obudzę się z tego koszmaru?*, nabrały zupełnie innego znaczenia. Utracę moją godność. Pojawią się rany, niekontrolowane wypróżnianie się i wysoka gorączka. Ale to są jedynie superfajne dodatki do choroby – one mnie nie zabiją. Nie mam pojęcia, co w końcu zaprowadzi mnie do grobu. AIDS czyni twój układ odpornościowy praktycznie bezużytecznym, więc twój organizm staje się podatny na wszelkie rodzaje chorób, których nie jest w stanie zwalczyć. To może być rak albo choroba wątroby, albo nawet zapalenie płuc… W każdym razie cokolwiek to będzie – o godności mogę zapomnieć.

Jakkolwiek fakty te do mnie przemawiały, były to jedynie słowa. Musiałam to zobaczyć na własne oczy. Wiedziona niezdrową, autodestruktywną ciekawością przeszłam do wyszukiwania zdjęć. W niecałą sekundę monitor zapełnił się dziesiątkami najbardziej odpychających fotografii, jakie kiedykolwiek widziałam. Przerażająco chude wycieńczone ciała uwieszone aparatury tlenowej. Skóra pokryta ranami tak strasznymi, że wydawało się, jakby były już w stanie rozkładu. Bezbronne, błagające o pomoc twarze afrykańskich dzieci ze wzrokiem utkwionym gdzieś daleko.

Przeszedł mnie dreszcz i w ostatniej chwili zdążyłam złapać kosz na śmieci, żeby nie zwymiotować wprost na biurko. Tak, jakby moje ciało próbowało pozbyć się z siebie tego, co właśnie zobaczyło. Jakby chciało wyrzucić za drzwi chorobę, która właśnie się do niego wprowadziła.

Ale nie potrafiłam wymazać z umysłu obrazów, które zobaczyłam – nawet kiedy zamknęłam oczy, one wciąż tam były.

I nie mogłam pozbyć się wirusa. Jeśli moja mała wycieczka po sieci czegokolwiek mnie nauczyła, było to właśnie to.

Błyskawicznie usunęłam historię wyszukiwania. Następnie zgasiłam światła i zanurkowałam pod kołdrę, przysięgając sobie, że już nigdy więcej nie będę szukać informacji o tej chorobie.

W imię miłości

Jak zawsze mój umysł robił, co chciał. Kiedy usłyszałam, że panuje grypa, prawie wpadłam w panikę, z przerażeniem zaczęłam myśleć, co będzie, jeśli ją złapię. Kiedy przy bardziej energicznym myciu zębów zauważyłam nieco krwi, rozważałam wymycie zlewu chlorem, żeby pozbyć się zarazków. Na lekcjach przestawałam słuchać nauczyciela i przyglądałam się znajomym z klasy, zastanawiając się, czy ktoś jeszcze nosi w sobie podobną tajemnicę.

Najgorsze było to, że czułam się zupełnie dobrze. To znaczy, tak jak zawsze. Ale przecież to nie była prawda. Mój organizm oszukiwał mnie na każdym kroku, przekonywał mnie i wszystkich naokoło, że jestem zdrowa, że nic mi nie jest. I dlatego nienawidziłam go jeszcze bardziej.

Na zajęciach z edukacji seksualnej wytłumaczą ci wszystko, tylko nie to, co potem. Powtarzają w kółko „Nie rób tego i tamtego. A jeśli już to zrobisz, zrób to bezpiecznie". Ale co, jeśli schrzanisz sprawę? Co wtedy? Dokąd masz pójść? Komu powiedzieć? Co zrobić? „Edukacja" seksualna tak naprawdę do niczego cię nie przygotuje.

Z braku lepszych pomysłów przeszłam więc na autopilota: szkoła, próba, nauka, obowiązki w domu. Zachowuj pozory, a nikt nie dowie się, co naprawdę się z tobą dzieje. Ale to była katorga – byłam w stanie myśleć jedynie o HIV, który tylko czyhał na sprzyjającą okazję, by się ujawnić.

Kiedy w weekendy lub po szkole odzywały się telefony od Maxa lub Courtney, odrzucałam połączenie. Udawanie, że wszystko jest po staremu, było wystarczająco trudne w ciągu tygodnia w szkole. Nie potrafiłabym tak bez przerwy, musiałam się odizolować.

Byłam zupełnie zagubiona, ale wszystko wskazywało na to, że dobrze odgrywam swoją rolę. Przynajmniej nikt nie sugerował, by zauważył zmianę mojego zachowania.

Nikt poza Evanem. On wiedział, że coś było nie tak. A ja wiedziałam dlaczego. Może udało mi się zbudować dość wiarygodne pozory w innych aspektach życia, ale intymności nie byłam w stanie podrobić. Za każdym razem, kiedy Evan próbował wziąć mnie za rękę albo nachylał się, żeby mnie pocałować, odruchowo się cofałam. Fizyczność w związku stała mi się obca. Jak miałam dzielić swoje ciało z drugą osobą, skoro dla mnie było ono obce?

— No dobrze, Lucy — zaczął z westchnieniem, kiedy odwiózł mnie do domu po próbie. — Wyrzuć to z siebie.

Spojrzałam na niego.

— Ale co?

— Cokolwiek dzieje się w twojej głowie. — Jego brązowe oczy patrzyły się na mnie ciepło, a wyraz twarzy był łagodny. Nie był zły. Powinien być - nie winiłabym go za to. Ale sprawiał wrażenie, że zależy mu tylko na wyjaśnieniu.

Ale to była ta druga rzecz, której nie mogłam mu ofiarować.

Zamiast więc przejść do wyjaśnień, bezwiednie powiedziałam to, o czym myślałam przez cały tydzień, ale co próbowałam zachować dla siebie.

— Myślę, że powinniśmy zerwać — wyszeptałam. Byłam o tym przekonana - uznałam, że będzie mu o wiele lepiej beze mnie.

Evan przełknął ślinę i przytaknął, ale na jego twarzy niewiele się zmieniło. Zrozumiałam, że domyślał się, że to powiem.

— Dlaczego? — zapytał.

Odwróciłam wzrok.

— Nie wiem.

— To nie wystarczy. Podaj mi prawdziwą przyczynę.

— Po prostu... nie ma chemii między nami. Rozumiesz.

— Ale właśnie tego nie rozumiem — powiedział bardzo cicho. — Ta chemia była. Powiedziałaś, że chcesz być moją dziewczyną. Nie rozumiem, co się stało.

Otworzyłam usta, żeby odpowiedzieć, ale nie byłam w stanie nic z siebie wydusić.

— Lucy, kocham cię — powiedział Evan.

Ostro wciągnęłam powietrze.

— Nie mów tak — rzuciłam i wybiegłam z samochodu prosto do domu, zatrzaskując za sobą drzwi.

~

Rzuciłam się na łóżko i wcisnęłam twarz w poduszkę, żeby wygłuszyć przeraźliwy szloch. To był pierwszy raz, kiedy pozwoliłam sobie na łzy, pomijając chwilę, gdy rozkleiłam się przed Tatą. W sercu czułam rozdzierający ból. Był on tak silny, że niemal... dobry. Przynajmniej coś czułam. Pokazało mi to, wprawdzie w niezdrowy, okropny sposób, że jeszcze nie umarłam.

Ale mój płacz szybko przerwało pukanie do drzwi.

„Boże, dlaczego, jak wszyscy inni, nie mogę mieć rodziców, którzy by mnie po prostu ignorowali?"

— Wejdź — skrzeknęłam.

Ze zdumieniem zobaczyłam w swoich drzwiach Lisę. Odkąd ją przywiało z powrotem, ani razu nie postawiła nogi w tym pokoju.

Podała mi kopertę.

— Co to jest?

— Zdjęcie dziecka. Byłam dziś u lekarza. Rutynowa kontrola w piątym miesiącu — powiedziała.

Obejrzałam zdjęcie USG. Nie wiedziałam, co myśleć, trzymając w ręku namacalny dowód tego, że, czy tego chcesz czy nie, życie toczy się dalej.

— Będzie miało taką dużą głowę? — Tylko tyle byłam w stanie powiedzieć.

Lisa wzruszyła ramionami.

— Mówią, że to normalne. Twoja też musiała taka być. Nie pamiętam już.

Wsunęłam zdjęcie z powrotem do koperty i oddałam jej.

— To dziewczynka — powiedziała.

Zamrugałam.

— Naprawdę?

— Tak. — Lisa sprawiała wrażenie, jakby na coś jeszcze czekała, ale ja nie wiedziałam, co jeszcze powinnam powiedzieć.

— Nie pogratulujesz mi? — zapytała w końcu.

— Ach. Tak, gratulacje.

Rozpromieniła się.

— Dziękuję — powiedziała, jakbym odezwała się do niej z własnej, nieprzymuszonej woli.

— Masz już jakiś pomysł na imię? — zapytałam.

— Jeszcze nie. Może ty pomożesz mi coś wymyślić?

Co to miało być? Zacieśnianie relacji matki z córką?

— Nie wiem. Pomyślę o tym.

— To dobrze — powiedziała Lisa.

Inny świat

Dalej nie rozumiem — drążył Max. — Dlaczego z nim zerwałaś?

Byliśmy w bufecie. Evan jeszcze nie przyszedł, więc siedzieliśmy sami: ja, Max i Courtney. Moi przyjaciele nie dawali mi spokoju. Max zasypywał mnie gradem pytań, jakbym była na przesłuchaniu.

— Mówiłam ci już: nie było chemii — odpowiadałam po raz tysięczny.

— Jak to nie było? Co ty gadasz?! On za tobą szaleje. Ty za nim też. To nie ma sensu — powiedział, gwałtownym ruchem otwierając puszkę dietetycznej coli.

Odwróciłam się do Courtney, która do tej pory niewiele się odzywała.

— Rozumiesz, prawda? Czasami nie ma tego czegoś. To chyba kwestia kobiecej intuicji— powiedziałam, lekko wzruszając ramionami. Miałam nadzieję, że jeśli Courtney mnie poprze, Max odpuści.

Ale Courtney mnie zaskoczyła. Odłożyła kanapkę i wyprostowała się na krześle.

— Wiesz co, Lucy? Nie rozumiem. Gdybyś jeszcze nie zauważyła, nigdy nie miałam chłopaka. Max też nie, o ile nie liczyć związków przez Internet.

Max pokazał jej język.

— W randkach przez internet nie ma nic złego.

— To nie o to chodzi. Podczas gdy my desperacko szukamy tego, co ty zdobywasz z taką łatwością, ty nawet nie potrafisz docenić tego, co masz. Zerwałaś z Evanem, bo najwyraźniej miałaś taki kaprys, i oczekujesz jeszcze, żebym stanęła po twojej stronie? Daj mi spokój, kobieto.

Max zaczął klaskać.

— Amen, siostrzyczko.

Nieporuszona zagapiłam się na nich. Nie wywołają we mnie poczucia winy.

Zerwałam z Evanem z ważnego powodu. Courtney zarzucała mi egoizm, ale ja przecież zrobiłam najmniej samolubną rzecz pod słońcem.

— Mniejsza o to — powiedziałam, odsuwając od siebie nietknięty lunch.

— Co do diabła się z tobą dzieje, Luce? — chciał wiedzieć Max.

— Nie wiem, o czym mówisz.

— Czyżby? — powiedział z sarkazmem. — To może pozwól, że cię oświecę. Jeśli chodzi o Evana, walisz jakąś grubą ściemę, a od swojego arcytajemniczego zniknięcia zachowujesz się cholernie dziwnie.

„Zauważyli?"

— To nieprawda!

Max wlepił we mnie wzrok.

— No może masz rację. „Dziwnie" to może niewłaściwe słowo. „Jak wredna jędza" lepiej pasuje.

Poczułam, jakbym dostała w twarz. Podniosłam wzrok na Maxa, a on spokojnie spojrzał na mnie. Czekałam, aż Courtney się odezwie, stanie w mojej obronie, powie Maxowi, że przesadza. Ale oboje milczeli, a ostatnie stwierdzenie ciężko zawisło nad nami.

— Posłuchaj, Max — powiedziałam po dłuższym milczeniu. — Naprawdę niczego nie rozumiesz, więc po prostu się zamknij. — Wstałam gwałtownie i wybiegłam. Chciałam się znaleźć jak najdalej od nich.

Gotowało się we mnie. Kiedy skręciłam, kierując się do auli, w której zamierzałam spędzić resztę przerwy, zderzyłam się, a jakże, z Evanem.

Upuściłam torbę. Książki, długopisy i kosmetyki rozsypały się na podłodze.

— Przepraszam — powiedział, pomagając mi pozbierać rzeczy.

— Nie szkodzi — odpowiedziałam automatycznie, przeklinając w duchu los.

— Dokąd idziesz?

— Do audytorium.

— Myślałem, że może zjemy razem lunch — powiedział.

Absolutnie nie miałam ochoty na spędzanie z nim teraz czasu.

— Dlaczego?

Podał mi torbę i powiedział zdecydowanie:

— Ponieważ postanowiłem dać ci jeszcze jedną szansę.

Zaklęłam po cichu.

— Pamiętasz naszą wczorajszą rozmowę? — zapytałam.

— Tak, ale nie przyjmuję tego do wiadomości.

— Nie ty o tym decydujesz.

— Ale dlaczego nie? Dlaczego to ty masz decydować o tym, że nie będziemy już razem?

— Życie? Świat? Tak to już jest: decyduje ten, kto nie chce być z drugą osobą. Związki to nie demokracja. — Poprawiłam energicznie torbę na ramieniu. — Muszę iść.

Już miałam odejść, ale Evan chwycił mnie za przegub dłoni.

— Lucy.

— Puść mnie. Proszę… puść mnie. — Uwolniłam rękę z dłoni Evana i poszłam, nie oglądając się za siebie.

~

To był iście piekielny dzień. A jego końca nie było jeszcze widać.

Przynajmniej w jednym drobnym względzie szczęście mi sprzyjało: na próbie ćwiczyliśmy akt II, scenę 4. To oznaczało, że nie musiałam grać z Evanem, Maxem ani Courtney. Tylko ja, Ty, nasza niańka i Benwolio (swoją drogą to niesamowite, że właśnie obecność Ty'a była dla mnie teraz najmniej krępująca). Ale mimo wszystko atmosfera na próbie była okropna. Max i Courtney udawali, że mnie nie widzą. „Niby z jakiej racji? – powtarzałam sobie w duchu. – To nie oni zostali porównani do wrednej jędzy. Do tego jeszcze Evan, który nie chciał zostawić mnie w spokoju. Przecież, kto jak kto, ale on ma powody, żeby mnie unikać".

Był jak pijawka – zaczajał się za każdym rogiem i czekał na najkrótszą nawet przerwę lub moment, żeby tylko wyrosnąć przede mną i domagać się uwagi. Pierwszą część popołudnia spędziłam na próbach bezczelnego ignorowania go, ale kiedy to nie działało, od razu ucinałam rozmowę, każąc mu odejść. On wciąż jednak nie dawał za wygraną.

Kiedy tylko próba się skończyła, pognałam prosto do domu. Z ulgą myślałam, że nareszcie będę miała spokój, nawet jeśli tylko do... jutra.

Powinnam była wiedzieć, że to jeszcze nie koniec. Byłam właśnie w kuchni, pomagając Tacie z kolacją, kiedy do drzwi zadzwonił Evan.

Spotkanie z nim było ostatnią rzeczą, jakiej bym teraz pragnęła. Papa otworzył drzwi, a ja z kuchni mogłam słyszeć całą ich rozmowę.

— Cześć, Evanie — powiedział Papa.

— Dzień dobry, panie Freeman.

— Mów mi Seth.

— Miło mi. Jest Lucy?

Na migi starałam się dać Papie do zrozumienia, żeby powiedział, że mnie nie ma, ale on nie zauważył. Nie zdążyłam im jeszcze wspomnieć, że zerwałam z Evanem, więc niczego nieświadomy Papa zaprosił Evana na kolację.

Razem weszli do kuchni.

— Wiesz, że Evan nigdy nie jadł pizzy z grilla? Tak nie może być, zaraz temu zaradzimy — powiedział Papa. Ale jego beztroski nastrój prysł, kiedy zobaczył wyraz mojej twarzy.

— Wszystko w porządku, Lu?

Tak mocno ściskałam nóż, że zaczęły mi drętwieć palce.

— Nigdy się nie poddajesz, co? — zapytałam pełna złości.

— Chcę tylko pogadać — powiedział Evan.

Spojrzałam na ojców, którzy obserwowali nas zmieszani. Nie miałam zamiaru rozmawiać w ich obecności. Miałam dość wysłuchiwania tego, co wszyscy myślą o moim zerwaniu z Evanem.

— Dobrze. Wychodzę — powiedziałam. — Zostawcie mi trochę pizzy. — Rzuciłam nóż na blat i wyciągnęłam Evana na zewnątrz.

Wsiedliśmy do mojego samochodu. Nie zapalałam silnika.

— Wygrałeś. Porozmawiajmy — powiedziałam.

— Powinnaś mi to wyjaśnić — zaczął.

— Nic nie powinnam. To ty powinieneś mi coś wyjaśnić.

— Co?

— Dlaczego mnie tak dręczysz? Co się z tobą dzieje?

— Ja tylko chcę zrozumieć… — wyszeptał, pochylając głowę.

Jęknęłam sfrustrowana i uderzyłam dłońmi w kierownicę.

— Już to przerabialiśmy.

Nic nie odpowiedział.

— Evan, byliśmy razem tylko miesiąc.

Patrzyliśmy na siebie i żadne z nas się nie odzywało. Mogłabym przesiedzieć w tym samochodzie całą noc, gdyby dzięki temu moje słowa do niego dotarły.

Cisza trwała kilka minut, a potem jakby coś zaskoczyło. W wyrazie twarzy Evana zaszła zmiana. Odwrócił wzrok, jego twarz złagodniała, wyglądał na spokojnego.

— Masz rację.

— Tak? - Trudno było mi ukryć zdziwienie.

— Tak. Przepraszam cię, Lucy. Za wszystko — wymamrotał. — Ja tylko… chciałbym wiedzieć, dlaczego każdy mnie zostawia…

— W głosie Evana słychać było rozpacz. Ta rozmowa zaczęła iść w zupełnie innym kierunku.

— Co masz na myśli?

Evan odchrząknął i opuścił wzrok.

— Najpierw tata zostawia mnie i mamę dla jakiejś dwudziestoletniej panienki. Potem Sara, moja pierwsza dziewczyna, wyjeżdża, urywając kontakt, jakby nic między nami nie zaszło. A teraz spotykam ciebie i kiedy już zaczynam myśleć, że może nie jest tak źle, że wszystko ze mną w porządku, ty też mnie odrzucasz. Chcę zrozumieć, co takiego robię, że wszyscy mnie zostawiają...

Zrobiło mi się go żal. Sądziłam, że go chronię, ale przez cały ten czas raniłam go bardziej, niż mogłabym przypuszczać.

— Evan — powiedziałam, kładąc mu dłoń na ramieniu — tak mi przykro.

Spojrzał na mnie.

— Obiecuję, że dam ci spokój, jeśli tylko powiesz mi prawdę - dlaczego nie chcesz ze mną być?

Zawahałam się.

Byłam pewna dwóch rzeczy.

Po pierwsze: nie mogłam już zbywać go półsłówkami. Nie miałam wcześniej pojęcia, jak bardzo go to raniło i nie chciałam tego dalej ciągnąć.

Po drugie: muszę wymyślić jakieś sensownie brzmiące kłamstwo. „Nie jestem gotowa na kolejny poważny związek" albo „Pogorszyły mi się oceny i cały wolny czas muszę poświęcić na naukę". To byłoby najbardziej rozsądne, choć niewiarygodne tłumaczenie. Nie chciałam jednak go oszukiwać. Miałam już dość kłopotów, udawania, komplikacji. Gdzieś w głębi mnie odezwał się głos: „Powiedz mu prawdę. Co gorszego może się jeszcze stać?".

Szczerze mówiąc, nie miałam pojęcia, co gorszego mogło mnie spotkać, ale nie chciałam o tym myśleć. Kiedy tak obserwowałam

Evana, zaczęłam rozważać wyznanie mu prawdy. On się przede mną otworzył i nic złego się nie stało. Może ja mogłabym zrobić to samo...

Nagle zdałam sobie sprawę, że jeśli kiedykolwiek komuś to powiem, muszę zrobić to teraz, natychmiast.

— Lucy?

Spojrzałam mu prosto w oczy i wzięłam głęboki oddech.

— Jeżeli wyznam ci prawdę, przysięgasz, że nie powiesz tego nikomu?

Zmarszczył brwi.

— Oczywiście, Lucy.

— Obiecujesz?

— Obiecuję — przytaknął skwapliwie.

Słowa same popłynęły.

— We wrześniu miałam trochę kłopotów. Wiesz, że rzucił mnie Ty, wróciła Lisa – wszystko spadło na mnie jednocześnie. Nie mogłam sobie z tym poradzić. Teraz to wydaje się głupie, ale było mi naprawdę ciężko. Więc razem z Courtney i Maxem pojechaliśmy do miasta, spiliśmy się, a ja obudziłam się kolejnego ranka u jakiegoś obcego faceta w łóżku.

Evan przytakiwał, ale wciąż nie rozumiał, jaki to ma związek z nim.

— Potem poszłam się przebadać na choroby weneryczne. I... — Zaczerpnęłam powietrza. — Wyszedł mi dodatni wynik na HIV. — To był pierwszy raz, kiedy powiedziałam to straszne słowo na głos.

Kiedy te słowa wybrzmiały, poczułam, że zaszła we mnie zmiana. Jakby opadły niewidzialne pęta, a ja o krok zbliżyłam się do wolności.

Evan otworzył szeroko oczy.

— O Boże — powiedział, podnosząc dłoń do ust.

Obserwowałam go uważnie, próbując odczytać jego myśli. Ale miał nieprzenikniony wyraz twarzy.

— Ktoś jeszcze wie? — zapytał po dłuższej chwili.

— Nie.

— Nawet twoi ojcowie?

— Nawet oni.

— Lucy, musisz im powiedzieć.

— Nie muszę. Nie rozumiesz. Nie znieśliby tego.

— Ale to twoi rodzice. Powinni wiedzieć.

— Posłuchaj — powiedziałam, nabierając wątpliwości, czy nie zdradzi mojej tajemnicy. — Nie możesz im powiedzieć. Nikomu nie możesz powiedzieć. Obiecałeś.

— Nie przypuszczałem, że to będzie coś takiego. Nie miałem pojęcia...

— Powiedziałam ci, ponieważ uznałam, że winna ci jestem wyjaśnienie. Ale nikt więcej nie może o tym wiedzieć. To wyłącznie moja sprawa.

Evan patrzył to na mnie, to na okno w kuchni.

— Nikomu nie powiem — odezwał się.

Przez kilka minut siedzieliśmy w ciszy.

— Cóż — powiedział w końcu — chyba czas już na mnie.

— Poczekaj — wyciągnęłam dłoń i chwyciłam go za rękę. Nie chciałam, żeby szedł.

Ale wtedy, jakby w zwolnionym tempie, Evan spojrzał na moją dłoń zaciśniętą na jego nagim przedramieniu - jego skóra miała bezpośredni kontakt z moją - i wzdrygnął się.

— Ach — wykrzyknęłam, doskonale go rozumiejąc. Przerażałam go. W środku poczułam, jakby żelazne szpony rozdzierały mi wnętrzności.

Nerwowo przeczesał dłonią włosy.

— Nie wiem, dlaczego to zrobiłem.

— Rozumiem — wyszeptałam urażona. — Ale wiesz przecież, że tak się nie zarazisz.

— Tak. To było głupie. Naprawdę mi przykro. — Zrobił się cały czerwony.

— I właśnie dlatego nie chcę, żeby ktokolwiek o tym wiedział. Nie chcę, żeby wszyscy się na mnie patrzyli tak, jak ty teraz. Idź już. Nic się nie stało.

Już miał otworzyć drzwi.

— Czekaj, co chciałaś powiedzieć?

„Och, sama nie wiem. Może tylko to, że nadal bardzo mi się podobasz i miałam nadzieję, że teraz, kiedy już znasz prawdę, moglibyśmy spróbować jeszcze raz? Cóż, uznajmy to za przejściowe szaleństwo z mojej strony".

— Nic. Nieważne — odrzekłam.

— Jesteś pewna?

— Tak. Do zobaczenia w szkole.

— Okej — rzucił, jak gdyby nigdy nic. — Cześć, Lucy — dodał po chwili i starając się ukryć pośpiech, odszedł.

Teraz już wiedziałam, że nie powinnam była mu o niczym mówić.

Nic wam do tego

Następnego dnia podczas porannego spotkania z Andre siedziałam zamknięta w sobie, zupełnie bez życia. Wszyscy inni zdawali się nie zwracać na mnie uwagi. Rozmowy. Powtarzanie dialogów. Ćwiczenie monologów. Namiętne pary. Ty i Elyse siedzący na jednym krześle i spleceni w uścisku.

Czyli wszystko po staremu.

Czułam, że nie pasuję do tego miejsca.

Usiadłam tam, gdzie zwykle - obok Maxa i Courtney.

— Co tam? — wysylabizowałam beznamiętnie.

— No... w sume nic szczególnego — powiedziała Courtney, wzruszając ramionami. — A u ciebie?

— Nic.

Koniec rozmowy. Po raz pierwszy w całej naszej dwunastoletniej przyjaźni zapadła między nami niezręczna cisza.

Evan przyszedł tuż po dzwonku i zamiast jak zwykle usiąść obok nas, wybrał miejsce przy drzwiach. Przez całą przerwę patrzyłam na niego, czekając, aż spojrzy w moją stronę, ale on utkwił wzrok gdzieś na scenie. Tuż po zakończeniu spotkania zniknął.

Między lekcjami szukałam go w miejscach, w których zwykle spędzał przerwy, ale nigdzie nie mogłam go znaleźć. Na lunchu też się nie pojawił. Byli za to Max i Courtney. Niestety, nie mieliśmy o czym rozmawiać i cała przerwa minęła w ciszy przerywanej od czasu do czasu zdawkowymi uwagami.

Przenigdy dotąd bym nie pomyślała, że kiedyś za wszelką cenę będę chciała uwolnić się od towarzystwa moich najlepszych przyjaciół.

W końcu spotkałam się z Evanem na próbie. Ze stołu z rekwizytami wzięłam już naszą broń i podałam mu miecz.

— Cześć — powiedziałam, przezwyciężając, jak podejrzewałam, pokusę zwiania, gdzie pieprz rośnie.

Evan stał ze wzrokiem utkwionym w podłogę.

— Dzięki. Za... miecz.

— Nie ma za co. Cały dzień byłeś jak Houdini.

— Byłem bardzo... zajęty.

Tak - zajęty unikaniem mnie!

Starałam się nie dać niczego po sobie poznać.

— Jesteś gotów się ze mną zmierzyć, sir Tybalcie? — zapytałam, udając wesołość.

— Hm, jasne — odpowiedział.

Ale nasz pojedynek poszedł fatalnie. Jak mieliśmy zgrać nasze ruchy, jeśli Evan nawet na mnie nie spojrzał i nie zbliżył się na bliżej niż pół metra? Topornie, jakby nasze nogi były z ołowiu, przebrnęliśmy przez scenę walki. Andre był z nas tak niezadowolony, że puścił wszystkich wcześniej do domu. Evan zmył się jako jeden z pierwszych.

Mijały kolejne dni. Byłam nieobecna duchem. Nikogo ani niczego nie zauważałam.

Wciąż zapominałam swój tekst, przegapiałam wejścia. Premiera miała się odbyć za niecały miesiąc, tymczasem zanosiło się na to, że będzie to najgorsza produkcja Eleanor Drama w historii. Po kilku dniach absolutnie okropnych prób Andre poprosił, żebym została chwilę.

— Nie wiem, co się z tobą dzieje, Lucy, ale musisz wziąć się w garść. Teraz — dodał z naciskiem.

— Wiem — wymamrotałam.

— Mam wrażenie, że to jednak do ciebie nie dociera. Jeszcze trochę, a odbiorę ci rolę. A wtedy wylatujesz. Na dobre. Wiem, że tego nie chcesz.

— Oczywiście, że nie — przyznałam.

Bo nie powinnam tego chcieć, prawda? Ale trudno mi było wykrzesać z siebie choćby odrobinę chęci. Dawna ja - ta, której tak bardzo zależało na graniu, uwięziona została głęboko w mojej głowie i nie miała już nic do powiedzenia. Teraz rządził mną ten nieokreślony intruz, która stał się częścią mnie w momencie, gdy po raz pierwszy padło słowo „dodatni". Ten intruz rósł w siłę, podszeptując mi nieustannie, że to wszystko nie ma sensu. I miał rację - nie miało...

Nie tylko z Andre miałam nieprzyjemną rozmowę.

W damskiej garderobie wolnym krokiem podeszła do mnie Elyse ubrana w błyszczącą spódniczkę swobodnie opadającą na sportowe legginsy.

— Wiesz, dobrze, że przeniosłam się do tej szkoły… — obwieściła głośno, by wszyscy mogli ją usłyszeć.

— A dlaczegóż to, Elyse? — przerwałam jej ironicznie.

— Pół biedy, jeśli skopiesz swoje cztery sceny — wykrzyknęła, tracąc kontrolę nad emocjami. — Ale pomyśl tylko, co by było, gdybyś grała Julię - musieliby odwołać premierę!

Patrzyłam się na nią upokorzona, próbując wymyślić jakąś ciętą ripostę. Nic jednak nie przyszło mi do głowy.

— Ale nie przejmuj się — kontynuowała ze zjadliwą słodyczą, najwyraźniej nieźle się przy tym bawiąc — wiele osób uważa się w dzieciństwie za „dobrych aktorów" — tu zrobiła cudzysłów w powietrzu — ale kiedy przychodzi dorosłość, nie mogą sobie z tym poradzić. Nie martw się, nikt nie zamyka przed tobą drogi do teatralnej kariery. Jestem pewna, że czeka na ciebie posada w kasie teatru. — W tym momencie zadzwonił jej telefon.

— To mój chłopak! — wykrzyknęła teatralnie, patrząc na mnie wyraźnie zadowolona. Sądziła, że uczyni mi tym przykrość. Potem zaszeleściła błyszczącą spódniczką, odwróciła się ostentacyjnie na pięcie i wyszła.

„Boże, co ten Ty w niej widzi? Jak Max mógł nazwać mnie jędzą, gdy to coś żyje sobie spokojnie przekonane o swojej elokwencji?"

Odruchowo zerknęłam na Courtney. Zajęta była makijażem, jakby zupełnie nie zauważyła, co się właśnie stało. Ale przecież musiała słyszeć. Jej milczenie można było zrozumieć tylko w jeden sposób – zgadzała się z Elyse.

Przerwy na lunch zaczęłam spędzać samotnie w pustej auli. Na porannych apelach siadałam sama, na samym końcu sali. Courtney i Max zupełnie przestali się do mnie odzywać. Z naszej trójki została dwójka. Kto by pomyślał, że przyjaźń okaże się tak krucha. To było dość surrealistyczne wrażenie widzieć ich na korytarzu, w czasie lunchu, podczas prób, ale nie potrafić przebić tego niewidzialnego muru, który wyrósł między nami. Oczywiście wciąż byli mi bardzo bliscy, jednak coś nie pozwalało mi odbudować relacji.

W domu też nie było lepiej. Brzuch Lisy stawał się coraz większy. Po jakimś czasie przestała już nawet pytać mnie o imię dla dziecka, ponieważ jedyne, co byłam w stanie wymyślić, to Lisa Junior. W ogóle to z jakiej racji to ja mam wymyślać imię dla jej dziecka? Czy ona nic nie potrafi zrobić sama?

Jednak w odróżnieniu od moich przyjaciół i pseudomatki ojcowie nie mogli tak po prostu zignorować mojego dziwnego zachowania. Na początku wciąż dopytywali, co się stało, wymieniając przy tym zaniepokojone spojrzenia. Ale kiedy zdali sobie sprawę, że cokolwiek się ze mną działo, nie było to przejściową sprawą, postanowili rozwiązać problem inaczej.

Gdy w niedzielę wróciłam do domu po okropnej popołudniowej próbie, Tata i Papa siedzieli w salonie. Telewizor był wyłączony; panowała zupełna cisza. Czekali na mnie.

Spojrzałam na leżącą na stoliku stertę książek z biblioteki, a następnie przeniosłam wzrok na ojców.

— Co to jest? — zapytałam.

— Lucy, usiądź z nami — powiedział Tata, wskazując na krzesło ustawione naprzeciwko.

— Muszę się pouczyć — odparłam wymijająco. Wciąż miałam nadzieję, że uniknę tej rozmowy.

— Nie — zaprotestował twardo Tata. — Siadaj.

Przeklęłam pod nosem i powlekłam się w kierunku krzesła.

— No dobra. Co?

— Lu — zaczął Papa — twój tata i ja od jakiegoś czasu niepokoimy się twoim zachowaniem.

— Rozumiemy, że przechodzisz przez trudny wiek. Chcemy jednak, żebyś wiedziała, że zawsze możesz z nami porozmawiać. O wszystkim — podkreślił Tata.

Zapadła cisza. Zapatrzyłam się w abstrakcyjny wzór na dywanie.

— No i? Chciałabyś z nami o czymś porozmawiać? — zapytał w końcu Papa.

— Nie, dzięki — wymamrotałam. Prążki na dywanie zaczęły się ze sobą zlewać. Ojcowie spojrzeli na siebie.

— Lucy — powiedział Tata nieco ostrzejszym tonem — dzwonił do nas twój reżyser. Powiedział, że jesteś rozkojarzona na próbach i że chyba pokłóciłaś się z Maxem i Courtney. Co się z tobą dzieje? To nie jest normalne.

Wzór na dywanie zanikł już zupełnie i stał się częścią bałaganu w mojej głowie.

— Martwimy się o ciebie, Lu. Musimy coś z tym zrobić.

To słowo sprawiło, że ocknęłam się z odrętwienia.

— Zrobić?

— Chcielibyśmy, żebyś poszła do psychiatry. Być może masz depresję. Odpowiednie leki w połączeniu z terapią na pewno ci pomogą. Może przydałyby się także badania...

— Nie ma mowy. — Potrząsnęłam głową.

— Nie mamy wyjścia, Lucy — powiedział Tata.

Nie mogłam się zgodzić. Gdybym zrobiła badania, od razu poznaliby prawdę. Spanikowana spojrzałam na stertę książek.

— Co to jest? — zapytałam.

— Wypożyczyłem je dla ciebie — powiedział Papa. — Pomyślałem, że może lepiej się poczujesz, jeśli będziesz wiedziała, że nie jesteś sama. Wiele nastolatek ma podobne problemy.

Zerknęłam na tytuły. Akceptacja własnego ciała, określanie własnej orientacji seksualnej, uzależnienie od narkotyków i alkoholu, niechciana ciąża…

Nic o zarażeniu się wirusem HIV w wieku szesnastu lat podczas jednorazowej przygody łóżkowej po alkoholu. Papa nie miał racji – byłam z tym sama.

Ale musiałam przecież coś zrobić. Wstałam i podniosłam pokaźny stosik książek.

— Dzięki — powiedziałam. — Przejrzę je. Na pewno macie rację, powinny pomóc. — To mówiąc, szybko zmyłam się na górę, nim zdążyli mnie zatrzymać.

Nie mogłam zasnąć. Za każdym razem kiedy zamykałam oczy, ciemność pod powiekami wypełniały wspomnienia. Nie były to losowe wspomnienia, tylko te, w których główną rolę odgrywała krew. Dopiero wtedy to zrozumiałam: krew była tematem przewodnim w moim życiu.

Cienka strużka, niemalże czarna, cieknąca po mojej nodze, kiedy w wieku pięciu lat spadłam z roweru.

Zakrwawiona chusteczka odjęta od twarzy po tym, kiedy Regina Arnold przypadkowo kopnęła mnie w nos podczas kursu tańca na obozie teatralnym trzy lata temu.

Malutka czerwona kropelka pęczniejąca na opuszku mojego palca, kiedy ukłułam się igłą, szyjąc pluszowego słonika na szesnaste urodziny Courtney.

Trzy ampułki ciemnej posoki pobrane przez Marie do moich badań na choroby weneryczne.

Nagle usiadłam na łóżku.

„Jedna do badania na kiłę i jedna na wirusowe zapalenie wątroby typu C. A trzecia na badanie potwierdzające na HIV, o ile będzie ono konieczne" — powiedziała Marie.

„O Boże! To jeszcze nie jest przesądzone".

Wyskoczyłam z łóżka i gorączkowo zaczęłam przetrząsać torbę w poszukiwaniu skrawka papieru od Marie, na którym zapisany był mój anonimowy kod oraz numer telefonu, pod którym mogłam uzyskać informację o wynikach. Gdy Diane wypowiedziała słowo „dodatni", kompletnie wyleciało mi to z głowy. W końcu znalazłam.

Wykręciłam numer. Kiedy usłyszałam sygnał w słuchawce, moje serce wypełniła nadzieja. Być może wszystko, przez co przechodziłam przez kilka ostatnich tygodni, było zupełnie niepotrzebne. Może to jedno wielkie nieporozumienie. Nie pogniewałabym się – nie obwiniałabym za to ani Marie, ani Diane, ani całego ośrodka. Kilka tygodni udręki to w sumie niewielka cena za odzyskanie całego życia.

Włączyła się skrzynka głosowa. Oczywiście – o trzeciej nad ranem nikogo tam raczej nie ma. Ostrożnie wygładziłam papierek i z powrotem weszłam do łóżka. Ale nadal nie mogłam zasnąć. Nie byłam w stanie myśleć o niczym innym niż o szansie na to, że tak naprawdę mój wynik nie był dodatni. Skoro robią badanie potwierdzające, pomyłki muszą być na porządku dziennym.

Jeszcze była szansa. Dlaczego wcześniej o tym nie pomyślałam?

Zadzwoniłam do ośrodka o dziewiątej, ale był zamknięty. Zapomniałam o święcie 11 listopada – Dniu Weteranów. Na dobre wieści musiałam zatem poczekać do następnego dnia.

Nie mieliśmy wprawdzie lekcji, ale próba nie została odwołana. Kiedy szykowałam się do wyjścia, czułam, że moja twarz przybiera osobliwy wyraz. I wtedy zrozumiałam – po raz pierwszy od niepamiętnych czasów znowu się uśmiechałam. Przed wyjściem każdemu z tatków dałam buziaka w policzek. Byli zszokowani moją nagłą przemianą. Pewnie pomyśleli, że to zasługa książek z biblioteki.

W drodze do szkoły czułam się naprawdę zadowolona. Zapowiadał się dobry dzień.

Od razu poszłam przeprosić Andre.

— Wiem, że nie powinnam się tłumaczyć, ale ostatnio miałam wiele kłopotów. Naprawdę mi przykro, że to miało wpływ na nasze próby, ale teraz jest już lepiej. Nie musisz się już martwić.

Nie wiem, czy to zasługa moich słów, czy towarzyszącej im pozytywnej energii, ale Andre aż mnie przytulił.

— Dzięki Bogu! — powiedział. — Bez ciebie to nie byłoby to samo – jesteś naszą gwiazdeczką, panienko! Pamiętaj o tym.

Roześmiałam się.

— Dziękuję, Andre.

Próba poszła świetnie. Dobrze się bawiłam. Andre zasypał mnie pochwałami, reszta zespołu przestała wydobywać z siebie poirytowane jęki, a Elyse siedziała z kwaśną miną. Znów byłam w formie.

Jedyną rzeczą, która poszła nie tak, był pojedynek. W mojej obecności Evan nadal zachowywał się jak wystraszone zwierzę. Nie wiedział, że wszystko się zmieniło, że jutro dostanę moje oficjalne wyniki i będę mogła mu powiedzieć, że jednak nie mam HIV i wszystko jest jak dawniej.

~

We wtorek, dokładnie o dziewiątej rano, powiedziałam matematykowi, że muszę wyjść w pilnej sprawie. Wymknęłam się ukradkiem ze szkoły i wsiadłam do samochodu. Ponownie wybrałam numer ośrodka. Tym razem po drugiej stronie słuchawki odezwał się głos.

— Dzwonię w sprawie moich wyników — powiedziałam z optymizmem.

— Numer pacjenta? — flegmatycznie zapytała recepcjonistka.

Podałam jej numer i czekałam.

— Chlamydia - ujemny. Rzeżączka - ujemny. Kiła - ujemny. Zapalenie wątroby typu C - ujemny.

Czekałam, aż poda mi wynik badania na HIV, ale ona niespodziewanie zamilkła.

— Czy mogę jeszcze w czymś pomóc? — zapytała po chwili.

— Tak. Prosiłabym jeszcze o wynik badania na HIV.

— Nie podali pani tych wyników, kiedy była pani w ośrodku?

— Tak, ale potrzebne było jeszcze badanie potwierdzające.

Krótka cisza.

— Jeśli wynik szybkiego testu był odczynowy, pracownik socjalny powinien panią poinformować, jak uzyskać wyniki badania potwierdzającego.

Och. Najwyraźniej nie dotrwałam do tej części rozmowy z Diane.

— Ja... nie pamiętam, co powiedziała mi tamta pani...

Kobieta głośno westchnęła.

— Proszę zapisać ten numer. Będzie pani musiała porozmawiać bezpośrednio z pracownikiem socjalnym. Ma pani jak zapisać?

Z plecaka wygrzebałam długopis i zeszyt, i zapisałam numer.

— Moment — powiedziałam. — Czy ma pani teraz przed sobą ten wynik?

— Tak.

— Nie może pani go podać? Czemu mam dzwonić do innej osoby?

— Ponieważ ja nie jestem do tego uprawniona.

Przez chwilę byłam skonsternowana.

— Jak to? Ma pani uprawnienia do podania mi pozostałych wyników. Dlaczego akurat nie tego?

— Przykro mi - nie mogę. Życzę miłego dnia. — Rozłączyła się.

„Co do diabła?"

Wybrałam numer pracownika społecznego. Serce waliło mi jak młot.

— Diane Sullivan — odebrała już po pierwszym sygnale.

Odchrząknęłam.

— Dzień dobry, tu Lucy Moore. — Ugryzłam się w język. - Nie powinnam była podawać mojego nazwiska, ale było już za późno. — Byłam u państwa pod koniec października...

— Lucy! Tak, pamiętam... — powiedziała Diane. — Jak się miewasz?

— Dobrze — skłamałam. — Chciałabym poznać wyniki badania potwierdzającego.

— Zazwyczaj prosimy naszych pacjentów, żeby wyniki odbierali osobiście. Chciałabyś umówić się na wizytę? Mam kilka wolnych terminów w tym tygodniu.

— Nie. Chciałabym wiedzieć teraz.

— Lucy, będzie lepiej, jeśli porozmawiamy osobiście.

— Dlaczego?— zapytałam po chwili wahania.

— To standardowa procedura.

Mocniej zacisnęłam dłoń na słuchawce.

— To dlatego, że jest dodatni, prawda?

Nastąpiła pełna napięcia cisza.

— Zawsze prosimy o przyjście na wizytę, niezależnie od wyniku.

— Jestem pewna, że przepisy prawa zabraniają utajniania wyników przed pacjentami. — Ojciec-prawnik to czasami bardzo pomocna sprawa.

Bezsilna wobec tego argumentu Diane wydobyła z siebie ciche westchnienie.

— Czy masz przy sobie numer pacjenta? Przepisy o zachowaniu poufności zabraniają nam podawania tych wyników bez numeru.

Wyczytałam go. Drżał zarówno mój głos, jak i dłoń trzymająca ten cenny skrawek papieru. Usłyszałam, jak Diane wystukuje numer na klawiaturze.

— Lucy, twój wynik na HIV jest dodatni.

Upuściłam telefon na kolana i oparłam głowę o kierownicę.

Nadzieja, której tak kurczowo się trzymałam od trzeciej nad ranem poprzedniego dnia, prysła.

Czekałam na napad mdłości, paniki, na ponowne przybycie demonów. Myślałam, że mój umysł odrzuci tę informację, że będzie chciał ją zakrzyczeć. Czekałam na jakąkolwiek reakcję, ale nic się nie stało.

I wtedy zrozumiałam. Nic się nie stało, ponieważ w środku byłam już martwa.

— Lucy? — Z oddali dobiegał cichy głos Diane. — Jesteś tam?

Odetchnęłam kilka razy miarowo.

— Halo? Lucy?

Powoli podniosłam słuchawkę.

— Jestem.

— Co teraz czujesz?

— Nic — odpowiedziałam zgodnie z prawdą.

— To ważne, żebyś zrozumiała, że dzięki odpowiedniemu leczeniu i wsparciu osoby z HIV mogą prowadzić bardzo czynne życie.

— Mówisz to, bo tak wam każą.

— Nie. Mówię to, ponieważ to prawda. Pracuję w tym zawodzie już od dłuższego czasu, Lucy. Znam wiele osób z HIV, które prowadzą całkiem normalne życie.

— Ja do nich nie należę.

— Ale możesz — powiedziała.

— Nie mogę — zaczęłam podnosić głos. — Nic nie rozumiesz. Jak mam zawracać sobie głowę zwykłymi rzeczami, jak choćby szkołą, próbami, kiedy to mnie powoli zabija od środka? Jak mam zachowywać się normalnie, kiedy pierwsza osoba, której to powiedziałam, zwiała, nim zdążyłam dokończyć zdanie?

— Bardzo mi przykro, że coś takiego cię spotkało. Ale jestem pewna, że masz wokół siebie wiele osób, które okażą ci wsparcie. Może ktoś z rodziny?

— Nie. Nikomu już o tym nie powiem.

— Lucy, na pewno masz kogoś bliskiego, komu możesz zaufać. Od tego trzeba zacząć. To jest klucz do szczęścia. Przemyśl to. I pamiętaj, że w ośrodku mamy wiele spotkań grupowych, a poza tym, naprawdę chciałabym się z tobą spotkać i spokojnie porozmawiać.

Dobiegł mnie przytłumiony dźwięk dzwonka.

— Muszę już iść — powiedziałam szybko, wdzięczna za okazję do zakończenia rozmowy.

— Czekaj, Lucy…

Rozłączyłam się. Normalny świat mnie wzywał.

O rok starsza

Lucy Moore, którą dotychczas znałam, właściwie przestała istnieć. Zamiast niej pojawił się Merkucjo. Próby były moim jedynym łącznikiem z życiem. Na scenie wchodziłam w skórę zupełnie innej osoby. Nie musiałam być sobą; ten czas nie należał do mnie. Dzięki temu byłam w stanie dotrzymać obietnicy danej Andre i przygotowania szły dobrze.

Kiedy nie byłam na próbie, grałam na gitarze. Kompletnie zatracałam się w melodii, a muzyka, przynajmniej na jakiś czas, oddalała mnie od bólu.

I zupełnie niespodziewanie stało się coś niesamowitego – zaczęłam komponować piosenki. Nigdy wcześniej nie tworzyłam, a nawet jeśli coś próbowałam, z moich ust wydobywały się cudze słowa, które dawno wryły mi się w pamięć. Myślałam, że nie ma we mnie nic oryginalnego. Aż nagle zaczęłam zapisywać melodiami i słowami całe zeszyty.

Był piątek wieczór i siedziałam sama w domu. Fioletowa lampka na biurku oblewała cały pokój przytłumionym światłem. Tata i Papa wyszli na jakąś artystyczną imprezę (gdy zdali sobie sprawę z tego, że zaklęcie książek z biblioteki przestało już działać, próbowali wyciągnąć mnie ze sobą, przekonując, że wyjście z domu dobrze mi zrobi – ja jednak w zamyśleniu nie przestawałam brzdąkać na gitarze, więc w końcu się poddali i zostawili mnie samą), a niedługo po nich wyszła Lisa, ale nie zawracałam sobie głowy dopytywaniem się, dokąd idzie. Z plecami opartymi o ramę łóżka siedziałam z gitarą na moim ulubionym miejscu na podłodze. Przez wiele godzin nie przestawałam grać – dźwięki sześciu strun współbrzmiały z moim głosem, tworząc muzykę tak głośną, że wylewała się poza ściany mojego pokoju – sącząc się pod drzwiami i przenikając przez okna, wypełniała sobą całą przestrzeń.

Tak bardzo się w tym zatraciłam, że dopiero po dłuższej chwili zauważyłam, że z moich palców zaczęła lecieć krew.

Przestałam grać i spojrzałam na zakrwawioną dłoń. Powinnam pobiec do łazienki, żeby natychmiast obmyć rany i je opatrzyć. Ja jednak siedziałam jak zahipnotyzowana, wpatrując się w drobne kropelki czerwieni, które pulsując, rosły i staczały się po opuszkach moich palców. Rozlewająca się krew zatrzymała się wokół moich skórek, zachodząc za paznokcie i powoli ściekając ku wewnętrznej stronie dłoni.

Czyli to ona: moja nowa krew. To, co trzymało mnie przy życiu, a jednocześnie zabijało. Wyglądała zupełnie zwyczajnie. Czerwona. Zawiesista.

Na każdym palcu mojej prawej dłoni miałam głębokie rozcięcia. Krew zaczęła skapywać na pudło gitary. Nie starłam jej. Wróciłam do grania. Nie obchodziło mnie, że jeszcze mocniej drażniłam otwarte rany ani to, że rozmazywałam krew po całej długości strun. Było mi to obojętne.

Grałam, śpiewałam i pisałam, aż w końcu odpłynęłam ze zmęczenia. Kiedy obudziłam się rano, nadal siedziałam w ubraniu, obejmując zakrwawioną gitarę, a na palcach miałam zaschniętą krew.

Nadszedł 17 listopada. Moje urodziny. Kończyłam siedemnaście lat. Była sobota, więc na szczęście nie musiałam iść do szkoły i widzieć tych wszystkich uśmiechniętych osób podchodzących do mnie z życzeniami. To były pierwsze z ograniczonej puli urodzin, które mi jeszcze zostały, i nie było w tym nic radosnego.

Poczłapałam na dół. Okazało się, że ojcowie wstali wcześniej, żeby przygotować mi urodzinowe śniadanie. Olbrzymi stos ułożonych na przemian naleśników i domowych gofrów zwieńczony był bitą śmietaną polaną syropem czekoladowym i posypaną wiórkami czekolady, a na samym szczycie tej konstrukcji sterczała ogromna świeczka. Sądziłam, że z racji mojego wycofania w tym roku odpuścimy sobie tę ucztę, ale depresja to nie jest jeszcze powód, dla którego moi tatkowie mieliby nie uczcić urodzin swojej jedynaczki.

— Sto lat, Lucy! — wykrzyknęli, kiedy weszłam do kuchni. Mieli na głowie urodzinowe czapeczki i dmuchali w trąbki.

Opadłam na krzesło.

— Jest kawa? — zapytałam, opierając głowę na dłoniach.

— Już się robi! Wszystko dla naszej jubilatki! — powiedział radośnie Papa.

— Gdzie jest Lisa? — wymamrotałam.

— Jeszcze śpi. Ciąża daje się jej ostatnio we znaki — powiedział Tata. — Mamy ją obudzić? To pierwszy raz, kiedy w twoje urodziny jesteśmy wszyscy razem.

— O siedemnaście lat za późno — mruknęłam pod nosem.

— Co się dzieje, skarbie?

— Nic. Nie budźcie jej.

Papa postawił przede mną porcję urodzinowego śniadania wraz z wypełnionym czarną kawą kubkiem z *Rent*.

I wtedy zaśpiewali. „Sto lat, sto lat, niech żyje, żyje nam..."

Czekali, aż zdmuchnę świeczkę.

— Pomyśl życzenie, Lu! — wołali.

Nagle wszystko się zatrzymało. „Pomyśl życzenie". Jakby to było takie proste. Jakbym od tamtego dnia w poradni wciąż tego właśnie nie robiła. Jakby coś równie niewinnego, jak życzenie urodzinowe, mogło wymazać wszystkie moje błędy. Jakby moje jedyne życzenie było możliwe do spełnienia.

Nagle zaczęłam płakać – łzy płynęły po moich policzkach, synchronizując się z woskiem kapiącym z palącej się wciąż świeczki.

Zupełnie na to nieprzygotowani ojcowie instynktownie ruszyli w moją stronę i otoczyli mnie ramionami.

— Lucy? Co się dzieje? — zapytał Tata niespokojnie.

Wszystko. Upływający czas, moje popękane, pokryte strupami palce, kubek z *Rent* i uśmiechnięte twarze rodziców… to zbyt wiele.

I wtedy zrozumiałam: jedynym ratunkiem przed utonięciem było zrzucenie z siebie tego balastu.

— Muszę wam coś powiedzieć — wyłkałam, zanim jeszcze zdałam sobie sprawę z tego, co robię.

Odsunęli się ode mnie i spojrzeli na siebie. Tata usiadł po lewej stronie, Papa – po prawej. Czekali. Mogę tylko przypuszczać, co się działo w ich głowach, ale wiem, że nie spodziewali się tego, co miałam im właśnie wyznać.

Już wiedziałam, czego powinnam sobie życzyć. „Proszę, proszę, nie znienawidźcie mnie" — myślałam.

I wtedy to powiedziałam: „Mam HIV". To niesamowite, ile mogą ważyć dwa krótkie słowa, dwie malutkie sylaby.

W całym domu słychać było tylko skwierczenie świeczki. Zdmuchnęłam ją.

Nigdy nie będziesz sama

Nie było odwrotu. Wstrzymałam oddech. Z twarzy moich zaskoczonych ojców nie mogłam wyczytać żadnych emocji. W pierwszym momencie myślałam, że mnie nie usłyszeli. Szczerze mówiąc, nie wiem, czy byłabym w stanie po raz drugi to z siebie wydusić. Ale oni po prostu nie wiedzieli, co z tą informacją mają począć.

Po chwili w miejsce kompletnego zdziwienia przyszło niedowierzanie. Papa wydał nawet z siebie krótki zdławiony chichot, jakby wziął to wszystko za żart. Pierwszą oznaką, że rzeczywiście zrozumieli, było drżenie lewej dłoni Taty, którą szybko położył na dłoni Papy.

Prawdziwe znaczenie i waga mojego wyznania dopiero zaczęła do nich docierać. Nikt nic nie mówił. Na twarzy Taty pojawił się grymas. Każdy głęboki oddech unosił jego wysuniętą krtań, a oczy wypełniły się łzami. Byłam kompletnie zaskoczona – nigdy wcześniej nie widziałam go płaczącego. Bez względu na to, przez co przechodziliśmy, Tata zawsze był silny, zawsze był moim wsparciem. Teraz puścił dłoń Papy i łkając, uwiesił się na moich ramionach. Nagle to on był dzieckiem, a ja rodzicem. Był zdruzgotany, a ja musiałam znaleźć siłę w sobie – powstrzymując własną rozpacz, musiałam go podpierać, by zupełnie się nie przewrócił.

Natomiast Papa był zły. A raczej wściekły. Jego twarz przybrała buraczkowo-czerwony kolor, a na czoło wystąpiły żyły. Gwałtownie wstał z krzesła i wybiegł z domu, trzaskając drzwiami tak mocno, że aż zadrżały szafki w kuchni.

Wypuściłam wstrzymywane dotąd powietrze. Moje życzenie się nie spełniło - Papa mnie znienawidził.

— Tato? — wyszeptałam.— Tato, powiedz coś.

Nic. Płakał dalej. Jego łzy całkiem zamoczyły rękaw mojej koszulki.

— Tato — spróbowałam ponownie. — Proszę, nie płacz już.

Wciąż nic. „Usłyszał mnie?"

— Tato, jesteś bardzo ciężki. Nie mam już siły.

Dopiero to do niego dotarło. Usiadł z powrotem na krześle i wydmuchał nos w urodzinową serwetkę.

— Już lepiej? — zapytałam troskliwie.

Wciąż milaczał. Dopiero po dłuższej chwili udało mu się odzyskać głos.

— Jak to się stało? — zapytał w końcu.

Westchnęłam.

— Czy to teraz ważne?

— Lucy — spojrzał na mnie z wyrzutem — oczywiście, że tak.

— Pewnie masz rację — przytaknęłam.

Opowiedziałam całą historię, niczego nie pomijając - kłamstwo i tak niczego by nie zmieniło. Kiedy mówiłam, nie mogłam pozbyć się wrażenia, że tak naprawdę czekam na jego wyrok. Emocjonalna reakcja była jedynie wstępem, dlatego celowo odsuwałam w czasie tę okropną chwilę - wiedziałam, że im dłużej będę mówiła, tym później poznam jego osąd.

Kiedy skończyłam, zwiesiłam głowę i powiedziałam: „Przepraszam, Tato".

Nic nie mówił. Patrzył tylko na swoje kolana, jakby chciał tam coś odnaleźć. Nie potrafiłam odczytać jego myśli.

Cień ten fatalny więcej takich wróży;
Gdy się raz zacznie złe, zwykle trwa dłużej.

Kiedy się wreszcie odezwał, zdumiały mnie jego słowa. Mocno ścisnął moją dłoń.

— Nie, Lucy, to ja przepraszam — powiedział.

— Za co? — Nie potrafiłam ukryć zdziwienia.

— Za to, że pozwoliłem Lisie tu zamieszkać…

— Tato — przerwałam mu — to nie jest twoja wina, ale moja.

— Pozwól mi dokończyć. Przepraszam, że pozwoliłem Lisie u nas zamieszkać. Strasznie mi przykro, że bałaś się wyznać nam prawdę. To cię przytłaczało, a my się nie domyśliliśmy…

— Tato, proszę, przestań się winić…

— Lucy — mówił dalej, jakby w ogóle mnie nie usłyszał — nie zasłużyłaś sobie na to. — Tu załamał mu się głos i przerwał, żeby się opanować. — To nie jest łatwe, ale jednego możesz być pewna, bardzo cię kochamy i zawsze będziemy cię wspierać.

Poznał prawdę i mimo to wciąż mnie kochał. Poczułam się znacznie spokojniejsza, wiedząc, że nadal mogę na niego liczyć. Wciąż jednak nie miałam pewności, czego mogę się spodziewać ze strony Papy.

— Nie wiem, czy Papa się z tobą zgodzi — powiedziałam matowym głosem.

— To oczywiste. Kocha cię tak samo mocno jak ja — powiedział Tata. — Po prostu potrzebuje więcej czasu.

— Nigdy nie widziałam go tak wściekłego. Boję się, że mnie znienawidzi…

— Lucy, posłuchaj — Tata chwycił mnie mocno za ramiona i spojrzał prosto w oczy. — Znam Setha bardzo dobrze. On jest wściekły na samego siebie.

— Na siebie?

— Uważa, że cię zawiódł. I ma rację. Naszym zadaniem było cię chronić - za wszelką cenę. Od potworów pod łóżkiem począwszy, na *takich*… rzeczach skończywszy…

Zauważyłam, że ma problem, by w ogóle głośno wypowiedzieć słowo: HIV. Głos mu drżał.

— Próbowaliśmy — mówił dalej. — Robiliśmy wszystko, co tylko w naszej mocy, żebyś była bezpieczna. Ja zawsze myślałem, że najgorsze, co może ci się przytrafić, to niechciana ciąża. Ale Papa zawsze bał się czegoś innego. To dziwne, ale jego zawsze napawało lękiem, że może ci się *to* przytrafić.

— Naprawdę? — Słuchałam z niedowierzaniem.

Tata przytaknął.

— Ale dlaczego? Przecież takie historie rzadko spotykają dziewczynki z dobrego domu… — pozwoliłam sobie na sarkazm.

— Pamiętasz Patricka?

Patrick. Dawny przyjaciel rodziny. Nie myślałam o nim od wielu lat. Pamiętam tylko, że dostałam od niego mój pierwszy album z Broadwayu - oryginalne nagranie z pierwszej inscenizacji *Pięknej i bestii*. Kiedy byłam mała, spędził też z nami Bożonarodzenio-Chanukę.

— Jak przez mgłę — przyznałam.

— Patrick był najlepszym przyjacielem Setha. Poznali się w drugiej klasie i od tamtej pory byli nierozłączni - zupełnie jak ty z Maxem i Courtney. Miał swoje problemy, ale kochał Setha, a ciebie wprost uwielbiał. Dopiero pod koniec dowiedzieliśmy się, że choruje na AIDS. Sądzę, że i on dowiedział się dopiero w ostatnich miesiącach swojego życia.

Wspomnienie wróciło. Miałam może sześć lat i Papa był strasznie smutny. Kiedy go zapytałam, co się stało, powiedział, że Patrick umarł. Był chory. Zapytałam, czy i ja mogę na to samo zachorować. Papa wziął mnie na ręce i obiecał, że nie.

Teraz o wiele lepiej rozumiałam jego reakcję.

Resztę dnia spędziłam z Tatą w jego galerii. W soboty mieli zamknięte, więc w przyjaznym otoczeniu dzieł sztuki urządziliśmy sobie mały piknik - siedząc na podłodze, jedliśmy kanapki z falafelem i popijaliśmy je milkshake'ami.

Biorąc pod uwagę fakt, że nasze myśli krążyły tylko wokół jednego tematu, było to naprawdę niesamowite, że do końca dnia Tacie udało się w ogóle go nie poruszać. Rozmawialiśmy za to o wszystkim innym – o sztuce, o facecie widzianym niedawno w telewizji, który postanowił przeżyć cały rok bez zarabiania i wydawania pieniędzy, o ogródku warzywnym, który Tata planował na wiosnę.

Chodziliśmy po galerii, przystając przed każdym obrazem i rzeźbą. Tata opowiadał mi o artystach i o tym, co przedstawiają różne dzieła. Nie mogłam uwierzyć, że niektóre z nich były tak drogie. Mój ulubiony obraz, ogromne płótno zamalowane różnymi odcieniami błękitu z włosiem zaschniętym na farbie, kosztował sześćdziesiąt pięć tysięcy dolarów.

Nawet nie zauważyliśmy, że zaczęło zmierzchać. Tata ukradkiem zerknął na telefon. Zanim wyszliśmy z domu, napisał do Papy SMS, informując go, gdzie będziemy, i wiem, że miał nadzieję, że Papa do nas dołączy. Oboje mieliśmy.

— Nie odezwał się jeszcze?

Kąciki ust Taty niemal niezauważalnie opadły.

— Pojawi się na pewno — powiedział, chowając telefon z powrotem w kieszeni.

— Skoro tak mówisz — stwierdziłam.

— Lucy, opowiadałem ci, jak moi rodzice dowiedzieli się, że jestem gejem?

Przez chwilę się zastanowiłam.

— Nie sądzę.

Tata skinął głową.

— Miałem siedemnaście lat. Tyle co ty teraz. Zbliżał się bal maturalny i przy kolacji rodzice zapytali, czy jest w szkole jakaś dziewczyna, którą chciałbym zaprosić. Byłem tak zaskoczony, że, pamiętam to jak dziś, zakrztusiłem się i wyplułem groszek na stół. Sądziłem, że wiedzą. Wydawało mi się to oczywiste. Nigdy nie okazywałem jakiegokolwiek zainteresowania dziewczynami, a ściany mojego pokoju były całe obwieszone plakatami Luke'a Perry'ego i Johnny'ego Deppa.

Zachichotałam, a Tata się uśmiechnął.

— Więc potrząsnąłem głową i powiedziałem: „Jestem gejem. Myślałem, że wiecie". Powiedziałem to, jakby nigdy nic. Ale oni wcale nie przyjęli tego tak lekko. Najwyraźniej nie mieli o tym pojęcia i, delikatnie mówiąc, nie byli zachwyceni. Mama natychmiast zaczęła się modlić, a tata wyrzucił mnie z domu, krzycząc, że jego syn nie będzie pedałem. Przez miesiąc mieszkałem u przyjaciół.

— Ale dziadkowie należą przecież do PFLAG[7]! Uwielbiają Papę!

— Teraz tak. Ale trochę im zajęło, zanim to zaakceptowali.

— O rany.

— Lucy, chodzi o to, że oni w końcu dali mi wsparcie. Zrobi to też Seth. Potrzebuje tylko trochę czasu — powiedział Tata.

Posprzątaliśmy resztki jedzenia i powoli zbieraliśmy się do domu.

— Tato — powiedziałam w drodze do samochodu — dziękuję. W tych okolicznościach nie były takie złe te urodziny.

Wziął mnie za rękę.

— Kocham cię, skarbie.

— Ja ciebie też — powiedziałam i zawiesiłam na chwilę głos. — Jeszcze jedno. Mógłbyś nie mówić o tym Lisie? Ani nikomu innemu?

Tata popatrzył na mnie przez chwilę.

— Oczywiście — powiedział.

Pojechaliśmy do domu.

[7] PFLAG (Parents, Families and Friends of Lesbians and Gays) – założona w latach 70. XX wieku amerykańska organizacja zrzeszająca rodziców, rodziny, przyjaciół oraz heteroseksualnych sympatyków osób homoseksualnych, biseksualnych i transpłciowych (przyp. tłum.).

Niedziela

Papa wrócił następnego dnia rano. Zmartwieni siedzieliśmy właśnie z Tatą przy kuchennym stole, na którym stygło nietknięte śniadanie, kiedy, powłócząc nogami, wszedł Papa. Wciąż miał na sobie to samo ubranie, co wczoraj, a na twarzy jednodniowy zarost. Tata odetchnął z ulgą. Ja patrzyłam i czekałam.

Papa przystanął na chwilę w drzwiach i przyjrzał mi się uważnie. Kiedy w końcu wszedł, obrócił moje krzesło tak, że zwrócona byłam do niego twarzą, a następnie ukląkł i objął mnie ramionami.

Wówczas po raz pierwszy poczułam, że może jednak będzie dobrze.

— Tata powiedział mi o Patricku — wyszeptałam.

Papa tulił mnie jeszcze przez chwilę, a następnie odsunął się, żeby na mnie spojrzeć.

— Lucy Rose Moore — powiedział stanowczo — nie jesteś Patrickiem. Patrick był idiotą.

Cóż, takiej odpowiedzi się nie spodziewałam.

Papa mówił jednak dalej.

— Patrick był nieodpowiedzialny, lekkomyślny, i przede wszystkim nie wiedział, jak o siebie zadbać. Ty zaś jesteś mądra i młoda - masz przed sobą cały świat. Zrozum: nie jesteś Patrickiem — powtórzył.

Nie wiedziałam, czy chce przekonać mnie, czy raczej siebie.

W tym momencie weszła Lisa. Spojrzała na Papę i powiedziała tylko: „Jezu, Seth, okropnie wyglądasz", a następnie postawiła przed sobą ogromną miskę płatków, wieńcząc je kopiastą łyżką cukru.

— Też miło cię widzieć, Liso — powiedział Papa, rzucając jej niechętne spojrzenie.

— Lucy, Seth — wtrącił się Tata — może w końcu pozwolimy Lisie w spokoju zjeść śniadanie, a sami pójdziemy pogadać na werandę?

— Ale na zewnątrz jest nie więcej niż pięć stopni.

— No i? — odpowiedział niezrażony Tata, wymownie spoglądając na Papę i lekkim skinieniem głowy wskazując Lisę.

— Dziękuję — powiedziałam, gdy wyszliśmy z kuchni.

— O co chodzi? — zapytał Papa, kiedy znaleźliśmy się już na zewnątrz.

— Lucy poprosiła, żebyśmy nie rozmawiali o tym przy Lisie.

— Nie chcę, żeby wiedziała. Nawet jeśli to moja matka.

Papa przytaknął i zamyślił się.

— Raczej nie wykazałaby zrozumienia.

— Zapewne nie, ale nie o to chodzi. Nie chcę, żeby ktoś jeszcze wiedział.

— Nikt?

— Nikt.

— A twoi przyjaciele?

— Powiedziałam Evanowi. Nie zareagował zbyt dobrze.

— Och — Papa zmarszczył brwi. — A co z Courtney i Maxem?

Potrząsnęłam głową.

— Nikomu już o tym nie powiem.

— A co z…

— Nikomu nie powiem. Koniec.

— Może jeszcze zmienisz zdanie — powiedział Tata. — Ale skoro teraz o tym wiemy, musimy się zastanowić, co dalej.

Przeszedł mnie lekki dreszcz.

— O co ci chodzi?

— Po pierwsze, musimy ci znaleźć dobrego lekarza. Musisz zacząć brać leki — powiedział Tata.

— Niezwykle ważna jest także systematyczna terapia — dodał Papa. — Podzwonię, popytam.

Wydawało się, że nasza umowa, żeby nikogo w to nie angażować, była już nieaktualna.

— Nie ma mowy. Żadnych lekarzy, żadnego leczenia.

Jeszcze próbowałam się sprzeciwiać, ale oni tylko wlepili we mnie wzrok.

— O czym ty mówisz? — zapytał Tata.

— Nie zgadzam się. Przeszukałam internet, Tato - dobrze wiem, co mnie czeka. Wolę prowadzić normalne życie tak długo, jak to tylko możliwe, nim będę zmuszona stawić temu czoła. — To, że moje życie już utraciło wszelką normalność, uznałam za rzecz oczywistą.

— Ale Lucy, to właśnie lekarze, kuracja farmakologiczna i terapia pozwolą ci prowadzić normalne życie. Nie rozumiesz tego? — powiedział Tata wyraźnie zniecierpliwiony.

— Nic mnie to nie obchodzi. Nie zgadzam się — powtórzyłam uparcie, krzyżując ramiona na piersiach.

Zanim zdążyłam się zorientować, Papa znalazł się tuż przy mnie i chwycił moją twarz w dłoń.

— Posłuchaj mnie teraz, młoda damo - jesteś osobą niepełnoletnią, a my twoimi prawnymi opiekunami. Dlatego też będziesz robiła to, co ci każemy. Rozumiemy się?

Otworzyłam szeroko oczy. Papa nigdy w taki sposób do mnie nie mówił - zawsze stawał po mojej stronie. Ale najwyraźniej coś się zmieniło.

— Ale...

— Nie będziemy na ten temat dyskutować, Lucy — powiedział Papa, zwalniając uchwyt.

— Papo — powiedziałam powoli i bardzo spokojnie — co to jest HIV?

— Nie wiesz? — zapytał.

— Oczywiście, że wiem. Ale chcę to usłyszeć od ciebie.

Nie odezwał się.

— Dobrze, ja to powiem - to wirus wywołujący AIDS. A czym jest AIDS?

Ponownie czekałam, aż odpowie, ale tego nie zrobił, więc odpowiedziałam i tym razem.

— To choroba, która rozdziera twoje ciało tak długo, aż w końcu umrzesz. — Przerwałam, żeby odchrząknąć i opanować głos. — Nie rozumiesz tego? Mam HIV, pewnego dnia zachoruję na AIDS, a potem umrę.

Słyszałam, jak Tata pociąga nosem, ale wciąż wpatrywałam się w oczy Papy. Ten wreszcie spojrzał na mnie i przez zaciśnięte zęby wysyczał: „Nie pod moją opieką".

Kiedy tego dnia kładłam się spać, ojcowie przyszli do mojego pokoju.

— Zrobiłem małe rozeznanie — zaczął Papa — i znalazłem lekarza, który ma bardzo dobre opinie. Przyjmuje w centrum. Jutro wcześnie rano zadzwonię, żeby cię umówić. A to — powiedział, wręczając mi plik wydruków — są informacje o różnych terapeutach, spotkaniach grupowych i ośrodkach wsparcia w Westchester i na Manhattanie. Przejrzyj je sobie i zdecyduj, gdzie chciałabyś spróbować.

— Nigdzie nie będę próbować — mruknęłam.

— Trzeba było o tym myśleć, zanim poszłaś do łóżka z obcym facetem — powiedział ostro Papa.

Zrobiłam gwałtowny wdech. Mogłam przypuszczać, że Tata wszystko powtórzy, ale żeby w ten sposób mi to wypominać - to była ostatnia rzecz, jakiej się spodziewałam.

Papa przełknął ślinę.

— Przepraszam, Lu — powiedział łagodniej. — Nie chciałem... Ja ciebie nie winię. Po prostu bardzo mi zależy na tym, żebyś znalazła sobie jakąś grupę. Albo prywatnego terapeutę – wszystko jedno. Musisz coś zrobić. Bardzo cię proszę.

Nagle przypomniał mi się wyraz twarzy Papy, gdy powiedział mi o śmierci Patricka.

„Dlaczego wszystko musi być tak cholernie skomplikowane?"

— No dobrze — skapitulowałam, podnosząc ręce do góry. — Pójdę. Dla ciebie. Ale to i tak w niczym nie pomoże.

Tylko ten jeden wieczór

Dwa dni później siedziałam na zimnym metalowym krzesełku w piwnicy kościoła metodystów w Greenwich Village. Miałam zamiar usiąść gdzieś z tyłu, ale ponieważ krzesła ustawione były w kręgu, trudno mi było się ukryć. W tej sytuacji wybrałam miejsce najbliżej drzwi, mając nadzieję, że będę mogła zmyć się stamtąd natychmiast po zakończeniu spotkania.

Przyszło w sumie kilkanaście osób – kręcili się nieustannie po sali, rozmawiali, śmiali się, zajadali pączki i popijali kawę. Z pewnością wszyscy już się dobrze znali – tylko ja byłam obca. Poza mną nie było tam żadnych nastolatków. To tylko potęgowało moją niechęć.

Tata i Papa czekali na mnie na rogu w kawiarni. Uparli się, że zawiozą mnie nie tylko do miasta, ale też pod same drzwi kościoła – obawiali się pewnie, że pozostawiona sama sobie zdezerteruję. Może mieli trochę racji.

Byłam zdenerwowana. Nie chciałam opowiadać tym ludziom o moich prywatnych sprawach i nie chciałam też słuchać ich łzawych historii. „Przestań się martwić – mówiłam do siebie. – Będzie dobrze".

Zaczęłam obgryzać paznokcie. Była już 20:05 – mieliśmy zacząć o ósmej. Marzyłam, by jak najszybciej odbębnić to cholerne spotkanie, wrócić do ojców i obwieścić im, że to tylko strata czasu i nie ma potrzeby, żebym przychodziła raz jeszcze.

Po kolejnych pięciu minutach zaczęłam zastanawiać się nad ucieczką. Co z zasadą piętnastominutowego spóźnienia? Jeśli spotkanie nie zaczyna się punktualnie, wszyscy mogą pójść do domu.

I tak nikt mnie nawet nie zauważył. Mogłabym się wymknąć i nikt by się nie zorientował.

Tak. W sumie mogłabym. Wybyć stąd i nawet nie obejrzeć się za siebie.

Jednak w chwili, gdy podjęłam decyzję, otworzyły się duże drewniane drzwi i do pomieszczenia wlała się fala energii.

— Bardzo przepraszam za spóźnienie! Moja wina! — powiedziała kobieta.

Nie. „Kobieta" to niewłaściwe słowo. To była dziewczyna. Chyba niewiele starsza ode mnie. Miała złocisto-brązową karnację, rozjaśnione grubymi blond pasemkami mocno kręcone włosy, które tworzyły wokół jej głowy coś na kształt aureoli, inspirowane szalonymi latami osiemdziesiątymi. różowo-zielone neonowe kolczyki i jaskraworóżowe paznokcie. To ona miała prowadzić spotkanie? Nie mogłam uwierzyć.

Kiedy już wszyscy usiedli i dziewczyna złapała wreszcie oddech, każdemu z nas posłała szeroki uśmiech. Miała idealnie równe lśniące zęby.

— Cześć!

— Cześć, Roxie — odpowiedziało jej kilka głosów.

— Widzę, że dołączyła do nas nowa osoba — zauważyła Roxie, spoglądając na mnie. Najwyraźniej nie byłam niewidzialna. Natychmiast się zaczerwieniłam.

— Jestem Roxie. A ty?

No i się zaczyna. Tego najbardziej się obawiałam - zwrócenia na mnie uwagi.

— Lucy — powiedziałam jednak.

— Witaj, Lucy. Byłaś już kiedyś na podobnym spotkaniu?

— Nie, to mój pierwszy raz.

„I ostatni" — dodałam w duchu.

— Cieszymy się w takim razie, że do nas przyszłaś. Chciałabyś się *podzielić*? — zapytała Roxie.

— Podzielić? — Nie rozumiałam, o co jej chodzi.

— Tak. Swoją historią, doświadczeniem z HIV albo AIDS, tym, jak się dziś czujesz... Czym tylko chcesz.

Wszyscy spojrzeli na mnie z zainteresowaniem. Nie mogłam uwierzyć, że oni naprawdę oczekiwali ode mnie, że opowiem im o najbardziej intymnych szczegółach mojego życia. Nie znałam tych ludzi i nie chciałam im niczego wyznawać, nie chciałam się z nimi niczym dzielić.

— Hm — bąknęłam. — Wolałabym na razie posłuchać. Jeśli to wam nie przeszkadza.

Roxie uśmiechnęła się do mnie życzliwie.

— Jasne.

Odwróciła się do reszty grupy.

— Kto pierwszy? I nie zapomnijcie się przedstawić Lucy.

Rękę podniósł mężczyzna siedzący dwa miejsca na lewo ode mnie.

— Ja mogę.

Miał może trzydzieści parę lat. Trudno mi było stwierdzić, ponieważ jego twarz była dziwnie wklęsła, jakby z jego policzków uleciało powietrze.

— Jestem Ahmed. Miałem okropny tydzień. W poniedziałek straciłem pracę.

W grupie rozległo się kilka pełnych współczucia westchnień.

— Czyli od przyszłego miesiąca nie będę miał też ubezpieczenia. Nie wiem, co robić - bez tego nie będzie mnie stać na leczenie.

Kiedy Ahmed skończył, Roxie zapewniła go, że wszystko będzie dobrze i że skontaktuje go z organizacjami, które pomogą mu zdobyć lekarstwa. Wydawało się, że rzeczywiście trochę się uspokoił, jakby wierzył w to, że Roxie naprawdę mu pomoże. Kim była ta dziewczyna?

Następnie głos zabrała kobieta ubrana w zbyt luźny, wełniany sweter, skarpetki i sandały.

— Jestem June. Moja córka wczoraj urodziła dziewczynkę. Zostałam babcią.

Rozległy się gratulacje i życzenia. June uśmiechnęła się, ale tylko nieznacznie.

— Odwiedziłam je w szpitalu. Mała jest śliczna. Ma na imię Andréa Marie. Ale nie pozwolili mi jej wziąć na ręce. — Przerwała i spuściła wzrok.

— Dlaczego nie? — zapytała Roxie.

— Córka powiedziała, że „nie chce ryzykować".

— Och, June — jęknęła Roxie. Kobieta siedząca obok June pogładziła ją po plecach w geście pocieszenia.

Przypomniała mi się reakcja Evana, kiedy dotknęłam jego ramienia. Czy już zawsze tak będzie? Gdyby inni dowiedzieli się o mojej chorobie, czy też baliby się podać mi rękę, pocałować na przywitanie albo zabronili przytulić ich dzieci?

Swoimi doświadczeniami podzieliło się jeszcze kilka osób. Nie wszystkie historie były tak smutne, jak te opowiedziane przez Ahmeda i June. Jakiś mężczyzna radośnie rozwodził o kobiecie, którą poznał niedawno na portalu randkowym dla osób z HIV. Pewna kobieta w ogóle nie wspominała o HIV ani AIDS - była kompletnie zaabsorbowana tym, że jej najlepsza przyjaciółka poprosiła ją, żeby została jej druhną na ślubie.

I nagle zrobiła się 21:30. Pora kończyć spotkanie.

— Mam dla was jeszcze jedną informację — powiedziała poważnie. — Pewnie zauważyliście, że od pewnego czasu brakuje wśród nas Lawrence'a. W ten weekend otrzymałam przykrą wiadomość. Lawrence zmarł w miniony poniedziałek. Zgodnie z tradycją uczcijmy jego pamięć.

W pomieszczeniu zrobiło się cicho. Jedni zamknęli oczy, inni poruszali ustami w bezgłośnej modlitwie. Zauważyłam, że nikt nie płakał. Jakby spodziewali się tych wieści. Pewnie Lawrence chorował już od dłuższego czasu. Roxie wspomniała coś o „tradycji". Domyśliłam się, że informacja o śmierci członka grupy nie należała tu do rzadkości. Ta myśl przyprawiła mnie o dreszcze.

Po jakiejś minucie Roxie ponownie zabrała głos.

— Dziękuję wam! Pamiętajcie, w ten czwartek nie ma spotkania, ale mam nadzieję, że wszyscy zobaczymy się w piątek!

Byłam już prawie przy drzwiach, kiedy ktoś chwycił mnie za ramię.

— Lucy, poczekaj!

Odwróciłam się. To była Roxie.

— Przyjdziesz jeszcze? — Spojrzała na mnie, jakby wyczuła, że nie zamierzam.

— Sama nie wiem — powiedziałam. — Może.

— W każdym razie spotykamy się tu w każdy wtorek, czwartek i piątek. Wypada tylko ten czwartek z racji Święta Dziękczynienia.

— Jasne — powiedziałam, kierując się ku drzwiom. — Dzięki.

— Lucy?

— Tak?

— Będzie dobrze, obiecuję.

„Co miałam odpowiedzieć?"

Wzruszyłam ramionami i wyszłam.

To świt, to zmrok

Byłam zajęta porządkowaniem książek w szkolnej szafce, gdy niespodziewanie dostrzegłam Courtney. Ku mojemu zdziwieniu szła ze Stevenem Kimani. Co więcej, trzymali się za ręce i uśmiechali do siebie czule. Widok przyjaciółki z chłopakiem był dla mnie prawdziwym szokiem. Ledwie ochłonęłam, zdumiała mnie kolejna rzecz - uśmiech Courtney był jakiś inny, ładny... Dopiero po chwili zauważyłam, że nie ma aparatu na zębach.

Patrzyłam oniemiała na tę parę, aż ta zniknęła za podwójnymi drzwiami na końcu korytarza. Nie wiedziałam, że Steven jej się podoba. Nie wiedziałam nawet, że się znają. Jak to się stało?

I do tego ten aparat! Courtney nosiła go od szóstej klasy. Z każdej wizyty u ortodonty wychodziła z płaczem, ponieważ jej uparty tyłozgryz wciąż nie pozwalał lekarzowi na zdjęcie tego świństwa.

Teraz wreszcie jej marzenia się spełniły. Courtney była zupełnie inną osobą. A mnie przy niej nie było. Zrobiło mi się smuto, więc podczas przerwy natychmiast do niej podeszłam.

Odezwałam się po raz pierwszy od wielu tygodni.

— Cześć Courtney, o rany, widziałam cię ze Stevenem Kimani. Jesteście razem? — zapytałam.

Courtney mimowolnie się uśmiechnęła.

— Tak.

— Och, nie wiedziałam, że on ci się podoba — powiedziałam.

— Cóż, ostatnio trzymałaś się od nas z daleka.

— Tylko nie idź z nim do łóżka, błagam — wypaliłam nagle. Właściwie to nie wiem, dlaczego to powiedziałam.

Po twarzy Courtney przemknął cień.

— Słucham?

— Po prostu... zaufaj mi. Nic dobrego z tego nie wyjdzie.

— No proszę, i kto to mówi! — Courtney podniosła głos. — Wiesz co, Lucy, lepiej już sobie idź.

Właśnie wtedy pojawił się Max.

Zdziwiony patrzył to na mnie, to na Courtney.

— Co się dzieje? — zapytał, wyczuwając napiętą atmosferę.

— Lucy uznała, że ma prawo mówić mi, z kim mam iść do łóżka — obwieściła głośno Courtney, ignorując fakt, że inni zaczęli się nam uważnie przysłuchiwać.

Zauważyłam, że Evan momentalnie podniósł głowę. Chciwie łowił każde nasze słowo.

— Nieważne. Przepraszam, że się wtrąciłam. — Chciałam jak najszybciej zakończyć tę fatalną rozmowę. Nie spodziewałam się, że moje słowa zostaną tak źle odebrane.

Odwróciłam się i odeszłam. Max jednak poszedł za mną.

— O co ci chodzi? — warknęłam, odwracając się gwałtownie.

— Czego od niej chcesz?

Westchnęłam.

— Daj spokój, powiedziałam tylko, żeby nie szła do łóżka ze Stevenem. Nic nadzwyczajnego.

Max uniósł brwi.

— Lucy, to, że nie wyszło ci z Ty'em czy z Evanem, nie oznacza, że Courtney nie może mieć udanego związku. Lepiej będzie, jeśli przestaniesz wtrącać się w cudze sprawy.

Potrząsnęłam głową i zaśmiałam się. Wiedziałam, że oni nic nie rozumieją.

— Nie masz pojęcia, o czym mówisz, Max. To ty się wtrącasz. Odpuść sobie, nie potrzebuję twoich rad.

— Dobra — powiedział nagle.

— No to świetnie — odparłam, nie starając się nawet ukryć mojej wściekłości.

Mierzyliśmy się wzrokiem, stojąc naprzeciw siebie. Przez ułamek sekundy wydawało mi się, że dojrzałam w jego twarzy smutek, drgnienie mięśnia, które pozwoliło mi sądzić, że może jemu też jest przykro, że nasze relacje tak się pogorszyły. Ale to była tylko chwila - złość wróciła, a my rozeszliśmy się w dwie różne strony.

— Lu, kolacja gotowa! — krzyknął Tata.

Niechętnie odłożyłam gitarę i powlokłam się na dół. Kuchnię wypełniał aromat potraw z okazji Święta Dziękczynienia.

Tatkowie postanowili w tym roku zrezygnować z tradycyjnych odwiedzin u dziadków, co było mi bardzo na rękę. Nie musiałam odgrywać roli wesołej i beztroskiej nastolatki, i właśnie za to byłam im najbardziej wdzięczna.

— Za kilka minut wyjmuję indyka z piekarnika i będziemy mogli siadać do stołu — powiedział radośnie Papa, manewrując sprawnie półmiskami, żeby zrobić miejsce na sałatkę.

Spojrzałam na stół. Stały tam już pieczone ziemniaki. Obok czekała jakaś nieznana mi brązowawa potrawa.

— Co to jest? — zapytałam.

— Danie Lisy — powiedział Tata. — Prawda, że miło?

„Miło" i „Lisa" to słowa, które wzajemnie się wykluczały.

— Ale co to jest?

— *Steak and kidney pie* — odpowiedziała Lisa.

— *Steak and kidney pie* — powtórzyłam, żeby się upewnić, czy dobrze usłyszałam.

Lisa przytaknęła.

— To taka angielska zapiekanka z mięsem. Spróbuj.

— Brzmi nieźle — powiedziałam i przeniosłam swoją uwagę z powrotem na potrawy stojące na stole.

Wtedy wszedł Papa, niosąc indyka.

— Ta-dam! — ogłosił dumnie, wyjmując pieczeń. — Wszystkiego najlepszego!

Indyk był złocisty, idealnie wypieczony i… odpychający. Martwy ptak leżał w centrum naszego kuchennego stołu. Pozbawiona głowy padlina ze związanymi skrzydłami i wypatroszonymi bebechami. Widoczne ciemne żyły transportowały niedawno krew. Gdziekolwiek nie spojrzałam, otaczała mnie śmierć.

Mocno zamknęłam oczy i walczyłam z przemożną chęcią ewakuowania się od stołu.

— Papo — wyszeptałam — możesz to stąd zabrać?

— Co zabrać? Indyka? — zapytał.

— Tak.

Tylko się domyślałam ich reakcji. Zapewne Tata i Papa wymienili się zatroskanymi spojrzeniami. Usłyszałam brzdęk naczyń.

— Już nie ma — powiedział po chwili Papa.

Otworzyłam oczy i zamrugałam kilkakrotnie. Indyk zniknął z pola widzenia.

— Dziękuję — wymamrotałam.

— Lucy… — zaczął Tata łagodnie.

Nie pozwoliłam mu dokończyć.

— To co? Jemy? — zaproponowałam i błyskawicznie nabiłam ziemniaka na widelec. Tata i Papa raczej zrozumieli, że nie chcę już o tym rozmawiać. Tylko Lisa nie odpuszczała.

— Co to miało być, do diabła? — zapytała.

Cisza. Skierowały się na mnie trzy pary zaciekawionych oczu. Tylko ja mogłam to wyjaśnić.

Zrobiłam jedyną rzecz, która przyszła mi do głowy. Rozpaczliwie wstrzymałam oddech i wpakowałam do ust kopiastą łyżkę zapiekanki Lisy. Była to niewątpliwie najbardziej oślizgła i obrzydliwa rzecz, jaką kiedykolwiek jadłam, ale desperacko zdobyłam się na uśmiech.

— Pyszne — powiedziałam z pełnymi ustami.

Lisa uśmiechnęła się szeroko, a ojcowie odetchnęli z ulgą.

Papa poszedł do kuchni, żeby ukroić sobie porcję indyka, Tata zaczął wybierać łyżką brzegi zapiekanki i tak w milczeniu minęła nam reszta świątecznej kolacji.

~

Mimo moich argumentów o bezsensie tego pomysłu Papa wysłał mnie na piątkowe spotkanie grupy wsparcia.

— Cześć, Lucy — przywitała mnie June, kiedy tylko weszłam do środka.

— Cześć — powiedziałam. Zdziwiłam się, że pamięta moje imię - we wtorek nie zamieniłam z nią przecież ani słowa.

Uśmiechnęła się do mnie, oczekując najwyraźniej, że zechcę jednak przedłużyć rozmowę. Powiedziałam więc pierwszą rzecz, która przyszła mi na myśl:

— Jak tam twoja wnuczka? — I natychmiast ugryzłam się w język.

To nie było zbyt taktowne pytanie. Ale przecież wiedziałam o niej tylko to. No może poza tym, że ma HIV albo AIDS, ale tego tematu nie miałam akurat zamiaru poruszać. Na szczęście June nie poczuła się urażona.

— Ma się świetnie. Dziękuję, że pytasz.

Zastanawiałam się, czy pozwolili jej jednak wziąć małą na ręce, ale wolałam już nie drążyć tematu.

— Lucy! Wróciłaś! — Z drugiej strony sali rozległ się dźwięczny głos Roxie. Podeszła do nas. Zauważyłam, że jej paznokcie były dziś w kolorze lazurowego błękitu.

— Tak — wybąkałam nieco zawstydzona własną obecnością.

Roxie sprawdziła godzinę na telefonie. To była stara komórka z klapką - pamiętam, że Tata miał taką, kiedy byłam mała. Już dawno nie widziałam takich modeli - wszyscy wokół mieli teraz smartfony.

— No to zaczynamy — powiedziała do wszystkich.

Zajęliśmy miejsca.

— Kto pierwszy?

Tym razem nikt się nie zgłosił.

— W takim razie ja zacznę — powiedziała.

Wiedziona ciekawością wyprostowałam się na krześle, żeby lepiej słyszeć.

— W środę mieliśmy w pracy akcję honorowego krwiodawstwa — uśmiechnęła się do nas znacząco. — Zorganizował ją nadgorliwy szef naszego wydziału i zamknął biuro na jakąś godzinę, żebyśmy wszyscy mogli zejść i oddać krew. Kompletnie nie wiedziałam, jak się zachować. Z jednej strony nie chciałam wyjść na egoistkę, która bez powodu odmawia pomocy, a z drugiej - nie chciałam mówić prawdy. Jestem tam od niedawna, ale wiem, że gdyby się dowiedzieli, atmosfera zrobiłaby się drętwa. A ja naprawdę potrzebuję tej pracy.

— I co w końcu zrobiłaś? — ktoś zapytał.

— Jak gdyby nigdy nic zeszłam ze wszystkimi, a potem na widok woreczków z krwią zaczęłam udawać, że zrobiło mi się słabo i zaraz zemdleję. Sanitariusz bardzo się przejął i powiedział mojemu szefowi, że nie może pobrać krwi od kogoś w takim stanie. I po kłopocie — uśmiechnęła się Roxie.

Wydawała się podchodzić do tego tak spokojnie. Wyobraziłam sobie, jak ja bym zareagowała na jej miejscu. Poczułam przypływ współczucia i zrozumiałam, że pewnego dnia, może już niedługo, mnie też spotka podobna sytuacja. Może to będzie akcja krwiodawstwa, a może coś innego. Kiedy masz HIV, wszystko się komplikuje. Nawet zwykły dzień w pracy może zamienić się w męczarnię.

Głos zabrało jeszcze kilka osób. Kiedy skończyli, zapadła cisza. Czułam, że zaraz to nastąpi - nie musiałam nawet na nią patrzeć. Po prostu wiedziałam…

— Lucy, chcielibyśmy cię lepiej poznać — powiedziała Roxie. — Jesteś gotowa z nami porozmawiać?

Nie miałam ochoty, ale wszyscy na mnie patrzyli z zaciekawieniem. Wiedziałam, że Papa będzie mnie tu tak czy inaczej przywozić, więc stwierdziłam, że muszę coś wreszcie z siebie wydusić.

— Nie wiem, co miałabym wam powiedzieć — przyznałam.

— Zacznij może od tego, dlaczego tu jesteś — podpowiedziała Roxie.

— Jestem tu, ponieważ mój tata nalega. — Kilka osób się roześmiało.

— Punkt za szczerość — powiedziała. — Jak się czujesz?

— Teraz? — zapytałam.

— Tak. Teraz, w tym momencie - co czujesz?

— Jest mi... zimno, jestem trochę zdenerwowana. Ale poza tym - wszystko w porządku.

Przerwałam na moment. Zaczęłam się zastanawiać.

— Tak, to właśnie z tym mam największy problem. Wiem, że mam wirusa, tylko dlatego, że ktoś mi o tym powiedział. Ale ja tego wcale nie czuję. Nic się nie zmieniło. Skoro to takie okropne, jak wszyscy twierdzą, to czy nie powinnam czegoś jednak czuć?

— Ale to jest przecież pozytywne. Powinnaś się cieszyć, że nie czujesz bólu, że nie masz żadnych objawów — powiedziała Roxie.

Wzruszyłam ramionami.

— Cieszę się... Chyba. Nie opuszcza mnie jednak wrażenie, że tak być nie powinno. Nie potrafię tego wyjaśnić.

— Ja cię rozumiem — odezwała się jakaś kobieta. Przedstawiała się chyba jako Shelly. A może Sally... — Jeśli masz raka albo chore serce, masz najpierw konkretne objawy, które prowadzą do diagnozy. HIV jest cichym zabójcą.

— Nie, tak jest tylko na początku. Poczekaj. Będzie gorzej — powiedział chudy mężczyzna o spierzchniętych wargach.

— Wiem, że będzie o wiele gorzej — przytaknęłam, mając przed oczami przerażające zdjęcia z Internetu. — O to właśnie chodzi. To poczucie, że jestem zdrowa, wydaje się jakimś okrutnym żartem. To trochę tak, jakbym siedziała w pierwszej klasie samolotu, a on wciąż by krążył nad lotniskiem i nie mógł wylądować. Nie mogę skoncentrować się na niczym innym, tylko na tym, że zanim na pasie do lądowania zwolni się miejsce, w samolocie skończy się paliwo, a my rozbijemy się, ponosząc straszną śmierć.

W sali zapadła kompletna cisza.

— Co? — zapytałam.

— O rany — powiedziała Shelly/Sally, wypuszczając powietrze. — Dobrze to ujęłaś. Piszesz coś może?

Potrząsnęłam głową.

— Nie. Jestem aktorką.

Kiedy wyszłam ze spotkania, przed kościołem czekali już na mnie ojcowie.

— I jak było? — zapytał Papa.

— W porządku. Tym razem się *podzieliłam* — podkreśliłam to słowo, żeby wiedział, że to nie mój wymysł.

— To świetnie, kochanie! — powiedział i przytulił mnie, obejmując ramieniem. Ruszyliśmy w stronę samochodu.

— Jesteśmy z ciebie bardzo dumni — powiedział Tata, również mnie obejmując.

— Lucy!

Odwróciliśmy się. Roxie biegła w naszym kierunku.

— Tato, Papo, to jest Roxie — powiedziałam sztywno, kiedy się zbliżyła. — Roxie prowadzi spotkania.

Widziałam, że są zdumieni jej młodym wiekiem, ale uścisnęli sobie dłonie i przywitali się. Roxie nawet nie mrugnęła, kiedy powiedziałam, że ci dwaj panowie to moi „rodzice".

— Powiedziałaś, że jesteś aktorką? — zapytała.

— Tak... ale...

— Bo widzisz, ja pracuję dla New York University. W administracji. Jeśli przepracuję tam ponad rok, nie będę musiała płacić czesnego. To znaczy, muszę się tam najpierw dostać, co może być trudne, biorąc pod uwagę wyniki mojego testu końcowego... Chociaż na egzaminach z predyspozycji na studia poszło mi całkiem nieźle...

— Roxie? — przerwałam jej zniecierpliwiona.

— Przepraszam. Do rzeczy. Jutro będą u nas przesłuchania do nowej kampanii reklamowej. Będą reklamy, spoty w telewizji. Mają na to sporo kasy. Szukają właśnie takiej osoby jak ty - wiem, bo prowadzę zapisy. Jeśli przyjdziesz, postaram się jakoś cię tam wkręcić.

— Naprawdę? — Aż podskoczyłam. Właśnie takiej odskoczni potrzebowałam. Sama perspektywa wystąpienia przed osobami spoza mojego kółka teatralnego była niezwykle kusząca. — Tak, jasne, że chciałabym przyjść!

— Chwileczkę, Lu. Nie zapomniałaś czasem o czymś? — powiedział Papa.

Racja. Moja pierwsza wizyta u lekarza.

— Może da się przełożyć? — zapytałam błagalnym tonem.

— Nie ma mowy. Wiesz, jak trudno było...

To prawda. Najbliższy wolny termin konsultacji z lekarzem specjalistą był dopiero za dwa miesiące, jednak Papa, wzięty prawnik, nigdy nie odpuszczał. Przypomniał właścicielowi kliniki o kilku prowadzonych dla niego sprawach i tym samym sprawił, że mogłam zgłosić się już w sobotę rano na badania.

Czułam, jakby podcięto mi skrzydła.

— Idę jutro do lekarza, ale mimo wszystko dziękuję.

— O której masz wizytę?

— O 10:30.

— No to świetnie. Na przesłuchanie możesz przyjść później. Ja będę do czwartej.

— Naprawdę?

— Jasne. Podaj mi swój numer - przyślę ci adres.

Wymieniłyśmy się telefonami i dodałyśmy swoje numery do listy kontaktów.

— Do zobaczenia jutro — powiedziałam.

— Tak, świetnie! Do jutra!

Zdeptać i pognębić

Proszę to wypełnić — powiedziała kobieta za kontuarem, wręczając mi sztywną podkładkę z około czterdziestostronicowym formularzem.

Podzieliliśmy się kartkami. Ojcowie zajęli się częścią związaną z ubezpieczeniem i historią chorób, a ja wzięłam pytania, na które tylko ja byłam w stanie odpowiedzieć, choćby takie jak zachowania społeczne i opis obecnego samopoczucia. Usiadłam w zacisznym rogu poczekalni, dzięki czemu mogłam spokojnie wypełnić formularz bez obawy, że ktoś będzie zerkać mi przez ramię.

Kiedy uporaliśmy się ze wszystkimi formalnościami i zapłaciliśmy za wizytę, mogliśmy wreszcie zająć swoje miejsce w kolejce. W korytarzu siedziało mnóstwo ludzi. Nie wiedziałam, czy mam to uważać za dobry, czy raczej zły znak. Ilość chętnych sugerowała, że lekarz, który miał się mną zająć, to dobry specjalista, ale gdy przyjrzałam się uważniej pacjentom, zauważyłam, że większość była w bardzo złym stanie. Siedzieli wycieńczeni i wymizerowani, niektórzy zanosili się męczącym kaszlem, inni z kolei byli niesamowicie chudzi. Wielu z nich wyglądało na straszliwie nieszczęśliwych. Jeśli lekarz był taki świetny, jak mówiono, to dlaczego jego pacjenci byli w tak okropnym stanie?

Wszystko zaczynało nabierać zbyt realnych kształtów.

Wciąż czekaliśmy. Pacjenci wzywani byli do gabinetów, ale cały czas przybywali nowi, żeby się zarejestrować. Skupiłam się na oddechu i próbowałam nie myśleć o dręczących mnie nudnościach. „Nie jestem chora jak ci ludzie — pocieszałam się. — To tylko nerwy".

Prawie się do siebie nie odzywaliśmy. Nasz wzrok jak magnes przyciągał podwieszony do sufitu wyciszony telewizor, ale to była jedynie naturalna reakcja na obecność migoczącego ekranu. Nie sądzę, żeby któreś z nas rzeczywiście było w nastroju śledzić informacje wyświetlane na dolnym pasku CNN o wszelkich okropnościach, które miały miejsce na świecie.

Ponad godzinę od naszego przybycia wywołano moje nazwisko. Ojcowie wstali, żeby wejść ze mną do gabinetu, ale zatrzymała ich pielęgniarka.

— Tylko pacjentka.

Mimo iż sama byłam pełna obaw, uśmiechnęłam się do nich najdzielniej, jak tylko potrafiłam, i weszłam za pielęgniarką do gabinetu. Zmierzyła mi ciśnienie, tętno i temperaturę, a następnie podała wyblakłą bawełnianą koszulę.

— Włóż to, rozcięciem z tyłu. Rozbierz się - możesz zostawić majtki, ale zdejmij biustonosz. — Wsunęła moją kartę do niewielkiego plastikowego uchwytu po zewnętrznej stronie drzwi i zamknęła je za sobą.

Zostałam zupełnie sama.

Uważnie rozejrzałam się po małym gabinecie. Niczym nie różnił się od gabinetów innych lekarzy. Mimo że wszystko wyglądało tu znajomo, czułam się niekomfortowo. Dygocząc z zimna, rozebrałam się i pospiesznie wciągnęłam koszulę, a następnie zaczęłam mocować się z troczkami. Postanowiłam nie zdejmować skarpetek. Byłam cała zziębnięta.

Usiadłam na łóżku pokrytym szeleszczącym cienkim papierem i przykryłam nogi bluzą.

Piętnaście minut później usłyszałam pukanie. Zanim zdążyłam powiedzieć „Proszę!", gałka się przekręciła i do gabinetu wszedł lekarz.

— Mam przyjemność z… Lucy Moore — powiedział, nie podnosząc nawet wzroku znad mojej karty.

— Tak — potwierdziłam.

Podszedł do umywalki i obfitą ilością mydła umył ręce.

— Jestem doktor Jackson. — Usiadł z powrotem i przez dłuższą chwilę zapoznawał się z moim formularzem. Czułam się zupełnie niewidoczna, a jednocześnie nieznośnie zauważalna, siedząc praktycznie naga przed tym obcym człowiekiem, który zdawał się mnie kompletnie ignorować.

W końcu spojrzał na mnie. Kiedy tylko dostrzegł moją twarz, zmarszczył brwi i z powrotem zajrzał do mojej karty, najwyraźniej czegoś szukając.

— Ile masz lat?

— Siedemnaście — odpowiedziałam.

Westchnął i z wyraźnym potępieniem potrząsnął głową. Wydawało mi się, że osąd moralny nie należy do jego zadań.

— A skąd wiesz, że masz HIV, Lucy? — zapytał doktor Jackson. Nagle jego głos przybrał zupełnie inny ton - od chłodnego i profesjonalnego, kiedy wszedł do gabinetu, do przesłodzonej protekcjonalności.

— Zrobiłam badania — powiedziałam, czując, jak pokrywam się gęsią skórką i to bynajmniej nie z powodu zimna.

— Gdzie?

— W przychodni w Harlemie.

— Masz kopię swoich wyników?

— Nie. Uzyskałam je telefonicznie.

Rozbawiony uniósł kącik ust.

— A jakże — powiedział.

O co temu facetowi chodziło? Traktował mnie jak jakąś pięciolatkę.

— W której jesteś klasie, Lucy?

— Jedenastej.

— Miałaś już lekcje z edukacji seksualnej?

— Tak...

— Więc uczono cię, jak ważny jest bezpieczny seks?

— Tak...

— Napisałaś tu, że uważasz, że zaraziłaś się HIV podczas niezabezpieczonego stosunku płciowego — powiedział, wskazując na formularz. — To było bardzo nieodpowiedzialne zachowanie, Lucy.

Czy to działo się naprawdę? Czy on mnie właśnie strofował?

„Słuchaj — chciałam powiedzieć — nie potrzebuję wysłuchiwać twoich osądów. Mam już dość problemów i bez tego. Więc przejdźmy może do tego, po co tu przyszłam, i skończmy jak najszybciej tę cholerną wizytę".

Ale nie byłam w stanie sklecić zdania. W oczach doktora Jacksona byłam rozpuszczonym dzieciakiem, który nie zasługuje na szacunek. Jego sposób bycia sprawił, że czułam się przerażona i onieśmielona, uznałam jednak, że najlepszym wyjściem z tej sytuacji było odpowiadać na pytania i odliczać sekundy do końca wizyty.

Doktor Jackson czekał na moją reakcję, ale kiedy nic nie powiedziałam, wzruszył ramionami, jakby doszedł do wniosku, że nie jestem warta jego pogadanki. Miał całą poczekalnię chorych, a ja byłam tylko kolejnym numerkiem na bardzo długiej liście pacjentów.

Wysunął głowę za drzwi i zawołał pielęgniarkę. Poczułam się o niebo lepiej, wiedząc, że podczas badania nie będę musiała być z nim zupełnie sama w gabinecie.

Rozpoczęło się badanie. Doktor opukał mnie ze wszystkich stron, nie przeprosiwszy nawet za swoje zimne ręce ani lodowaty stetoskop. Przy badaniu uszu bezceremonialnie wepchnął mi do nich małą latarkę; mocno uciskał szyję w poszukiwaniu powiększonych węzłów chłonnych i ugniatał brzuch w celu określenia rozmiaru wątroby i śledziony. Delikatnością raczej nie grzeszył.

A przy badaniu piersi i obmacywaniu pachwiny było jeszcze gorzej. Nie życzyłam sobie, żeby dotykał mnie w tych miejscach.

Nie chodziło o to, że robił to niestosownie – on traktował mnie przedmiotowo, a nie jak człowieka, który jest do tego przerażony i obdarzony prawdziwymi uczuciami. Widział we mnie kolejny obiekt badań i pole do własnych eksperymentów. Zamknęłam oczy, cały czas kuląc się pod jego dotykiem.

— Możesz się ubrać — powiedział.

Otworzyłam oczy i zobaczyłam, że pielęgniarka wychodzi, a doktor Jackson siada z powrotem na taborecie, gryzmoląc coś w mojej karcie.

Zawahałam się. Zamierza stąd wyjść, żeby pozwolić mi ubrać się na osobności?

Najwyraźniej nie.

Ubrałam się tak szybko i dyskretnie, jak to tylko było możliwe, cały czas odwracając się do niego plecami. Koszulę zdjęłam dopiero wtedy, kiedy już wszystko na siebie włożyłam.

— Dobrze. Zejdziesz teraz do laboratorium — powiedział doktor Jackson. — Pobiorą ci krew i zrobią morfologię, badanie limfocytów T oraz wiremię RNA. Chcę cię tu widzieć za tydzień. Możesz się umówić jeszcze dziś. — Podszedł do drzwi. — Jakieś pytania?

„Tak. Co to jest morfologia, badanie limfocytów T oraz wiremia RNA? Co stwierdziłeś podczas badania? Dlaczego jesteś takim dupkiem?"

— Nie, nie mam pytań — powiedziałam, myśląc tylko o tym, by jak najszybciej opuścić gabinet.

Moi ojcowie czekali dokładnie tam, gdzie się rozstaliśmy. Kiedy tylko mnie zobaczyli, zerwali się z krzeseł. Ale nie podeszłam do nich.

W miarę jak mój fizyczny dystans do doktora Jacksona się zwiększał, tym bardziej narastała we mnie odwaga i złość. Z zaciśniętymi zębami podeszłam prosto do recepcji. Czując, że coś jest nie tak, ojcowie bez słowa podążyli za mną.

Kobieta podniosła na nas wzrok.

— Pan doktor chciałby cię widzieć za tydzień. Przyszła sobota, godzina 11. Pasuje?

— Absolutnie nie — stwierdziłam.

Papa położył mi rękę na ramieniu.

— Lucy, wiem, że to dla ciebie trudne... — powiedział.

Odwróciłam się na pięcie i spojrzałam mu prosto w oczy.

— Nie masz pojęcia, jak tam było. Już nigdy więcej nie pójdę do tego lekarza — nie starałam się nawet zniżyć głosu i cała poczekalnia patrzyła na nas i uważnie nasłuchiwała. To musiało być o wiele bardziej interesujące od wiadomości na pasku CNN. Odwróciłam się do recepcjonistki.

— Czy przyjmują tu też inni lekarze?

Przełknęła ślinę.

— Tak, mamy jeszcze jednego lekarza specjalizującego się w... tym zagadnieniu. — Ostatnią część powiedziała szeptem, chociaż ja nie widziałam w tym sensu.

— Kogo?

— Doktor Vandoren.

— Proszę mnie w takim razie do niego zapisać — powiedziałam zdecydowanie.

— Do niej — poprawiła mnie recepcjonistka.

— Tym lepiej — powiedziałam.

Niestety, nie mogłam jeszcze opuścić tego „przybytku zdrowia", musiałam udać się na pobranie krwi. Niczym w transie patrzyłam, jak czerwona ciecz wypływa z małej żyły na moim przedramieniu, by następnie przelecieć przez przezroczystą rurkę i trafić prosto do szklanych flakoników. Znudzony pielęgniarz wciąż powtarzał tę czynność, aż w końcu pobrał ode mnie osiem małych ampułek krwi.

Kiedy już skończył, podniosłam się. Nie zdążyłam jednak stanąć, gdy nagle wszystko wokół mnie zawirowało i zrobiło się czarne.

Kiedy się ocknęłam, leżałam na podłodze, na czole czułam niewyraźny dotyk zimnych rąk, a moje oczy z wysiłkiem starały się skupić na pochylonej nade mną twarzy.

— Cudownie — powiedziałam, próbując usiąść. — Zemdlałam, tak?

Tata przytaknął.

— Już dobrze?

— A kto to wie? — powiedziałam gderliwie.

Kiedy obraz przed moimi oczami wyostrzył się wreszcie, zobaczyłam kłócącego się z kimś Papę. Mówił podniesionym głosem i energicznie gestykulował.

— O co chodzi? — zapytałam Tatę.

— Seth... wyraża swoje niezadowolenie ilością krwi, jaką od ciebie pobrano.

Teraz dobiegły mnie jego słowa.

— Ona waży niecałe pięćdziesiąt kilo! — krzyczał. — Co panu odbiło, żeby pobierać tyle krwi!? Było oczywiste, że zemdleje. Co to w ogóle za praktyki? Nie znacie się na swojej pracy? Jeśli przez wasze zaniedbania choćby włos spadnie z głowy temu dziecku ani się obejrzycie, a was pozwę!

Pielęgniarz był już cały czerwony i drżącym palcem wskazywał na ekran komputera.

— Ale proszę spojrzeć. Pan doktor polecił pobrać osiem ampułek. To nie ja podejmuję decyzję.

— Papo — zawołałam — uspokój się, wszystko ze mną w porządku. — Wstałam powoli, żeby tego dowieść.

Kiedy Papa zobaczył, że stoję już o własnych siłach, zeszło z niego powietrze i złość się powoli ulotniła. Wziął mnie za rękę i skierował się w stronę windy.

— Wynosimy się stąd — powiedział.

— To bardzo dobry pomysł — zgodziłam się.

Smak życia

Było wpół do trzeciej, kiedy na twarzach ponownie poczuliśmy promienie słońca. Siedzieliśmy tam ponad cztery godziny.

— Może pójdziemy coś zjeść i opowiesz nam, jak przebiegła wizyta? — zaproponował Tata.

— Ale ja teraz nie mogę — powiedziałam. — Przecież muszę iść na przesłuchanie.

— Lucy, to był długi dzień i sama wiesz, ile cię to wszystko kosztuje. Czy rzeczywiście jest ci to teraz potrzebne? — powątpiewał Papa.

— Tak, właśnie to jest mi teraz potrzebne. — Nie rozumiał, że wszelka możliwość gry aktorskiej była o wiele bardziej pomocna od wszystkich spotkań grupowych razem wziętych.

Ojcowie wymienili się spojrzeniami.

— Skoro jesteś pewna... — powiedział Tata.

— Jestem pewna. — Mocno ich przytuliłam. — Wracajcie już do domu. Obiecuję, że wszystko wam opowiem.

Pięć minut później byłam już w metrze. Kierowałam się do centrum. W wagonie panował niesamowity wręcz ścisk i ledwo dałam radę przycupnąć w kącie przy drzwiach. Wokół mnie stała podekscytowana grupka licealistów, zaś ich pełne entuzjazmu twarze obwieszczały całemu światu, że oto są po raz pierwszy w życiu w Nowym Jorku. Wszyscy ubrani byli w identyczne pomarańczowe bluzy z napisem „Byłem na Paradzie Dziękczynienia!".

Był tam też facet sprzedający wydane przez siebie tomiki autorskiej poezji oraz uszczęśliwiający wszystkich własną wersją *La Cucaracha* zespół *mariachi*[8]. Zamknęłam oczy i zaczęłam chłonąć cały ten zorganizowany chaos, pozwalając rozbrzmiewającym wokół dźwiękom wypełnić moją głowę.

Bez trudu znalazłam adres, który przysłała mi Roxie.

Do końca przesłuchań została już tylko godzina, ale kolejka oczekujących wciąż wylewała się za drzwi. Byłam już na kilku przesłuchaniach w mieście i zawsze wyglądało to tak samo. Setki podobnie wyglądających i podobnie ubranych amatorek, które grzecznie stoją w kolejce, wymieniając się przy tym nienawistnymi spojrzeniami, a ich głowy wypełnione są marzeniami o wielkiej sławie. Nie zamierzałam się łudzić. Nie dostanę tej roli, tak jak nie dostałam żadnej z profesjonalnych ról, o które się wcześniej starałam. Talent nie ma tu nic do rzeczy - konkurencja jest duża, a szanse - niewielkie. Widok tylu przepełnionych nadzieją twarzy przypominał o tym, że to miasto pełne jest marzycieli, z których większość nigdy nie spełni swoich aspiracji.

Gdybym rzeczywiście robiła sobie jakieś nadzieje, z pewnością szybko bym się zniechęciła. Ale po raz pierwszy w życiu nie skupiałam się na angażu. Tym razem zależało mi tylko na chwili, kiedy będę mogła opuścić własne ciało i wcielić się w jakąś nową postać.

Przecisnęłam się przez tłum i doszłam do początku kolejki. Roxie siedziała za składanym stolikiem i odbierała portfolio, a w zamian wydawała numerki.

— Hej — powiedziałam.

Na mój widok Roxie się rozpromieniła.

— O rany! Jednak jesteś!

— Tak. Mam się wpisać na jakąś listę?

---

[8] *Mariachi* - rodzaj orkiestr popularnych w Meksyku. Typowi *mariachi* mają w swoim składzie skrzypce, różne rodzaje gitar, mandoliny i trąbki. Orkiestry liczą od 3 do 12 członków, w swoim repertuarze mają zarówno kompozycje współczesne, jak i meksykańską muzykę ludową (przyp. red.).

— Nie, lista jest tylko dla umówionych osób. Ale nie martw się – wprowadzę cię tam. Możesz chwilę poczekać? — zapytała.

— Jasne.

„I tak nigdzie mi się nie spieszy – żadni inni przyjaciele nie chcą się ze mną spotykać" — pomyślałam.

— Świetnie. Usiądź sobie, a ja przyjdę po ciebie, kiedy tylko nadarzy się sposobność.

Kiedy przeciskałam się z powrotem w poszukiwaniu miejsca do siedzenia, uświadomiłam sobie znaczenie własnych myśli. „Nie mam już żadnych *innych* przyjaciół, którzy chcieliby się ze mną spotykać". Oznacza to, że gdzieś w głębi duszy uznałam Roxie za moją przyjaciółkę. Kiedy to się stało? Przecież ledwie ją znałam.

O wolnym krześle nie było co marzyć, więc znalazłam sobie kąt na podłodze. Siedziałam tak jakąś godzinę. Widziałam, jak inne dziewczyny lustrują mój strój. Chyba tylko ja miałam na sobie dżinsy i nie byłam pomalowana. Cóż, było mi wszystko jedno – niech się gapią.

Punktualnie o 16 Roxie wstała i obwieściła zdecydowanym głosem: „Przesłuchania na dziś się skończyły. Przepraszamy za wszelkie niedogodności i dziękujemy, że przyszłyście!".

Z tłumu odezwał się pomruk niezadowolenia, a ja musiałam się pilnować, żeby się do niego nie przyłączyć. Na co ja liczyłam? Co prawda nie byłam umówiona, ale jednak... Roxie nie powinna była mnie zapraszać, skoro i tak nie było szans się tam dostać...

Podeszłam do jej stolika.

— Dziękuję mimo wszystko — powiedziałam. — Do zobaczenia w przyszłym tygodniu.

— A ty dokąd się wybierasz? — zapytała.

— Jak to? Do domu.

— Stój, głuptasie. Powiedziałam im, że przyjdzie moja znajoma. Czekają na ciebie.

— Naprawdę?

— Tak! — powiedziała. W tym momencie drzwi się otworzyły i wyszła jakaś dziewczyna. — Wchodzisz! — oznajmiła Roxie.

Pomieszczenie było puste, nie licząc dwóch mężczyzn i kobiety, którzy siedzieli za stołem, oraz umieszczonej na trójnogu kamery.

— Dzień dobry — powiedziałam, uśmiechając po raz pierwszy tego dnia — jestem Lucy Moore. — Podeszłam do stołu i podałam im swoje zdjęcie.

— Witaj Lucy — powiedział jeden z mężczyzn, wręczając mi zadrukowaną kartkę. — Stań na wyznaczonym miejscu i kiedy już będziesz gotowa, przeczytaj tekst do kamery.

Szybko przebiegłam go wzrokiem. Była to jakaś nudna gadka o tym, jakim wspaniałym miejscem do nauki jest New York University. Ale za tymi słowami nie kryły się żadne emocje. Nagle dotarło do mnie, że właściwie nic nie wiem o tym przesłuchaniu. Powinnam była wypytać Roxie o szczegóły. Ale zrozumiałam, że oni właściwie nie szukają aktora, tylko rzecznika. Ładnej twarzy, która zachęci ludzi do zainwestowania czterech lat swojego życia i tysięcy dolarów w przereklamowaną edukację.

Uśmiech zniknął z mojej twarzy. Nie chciałam tego czytać. Nie chciałam nawet tej pracy. Chciałam tylko móc *zagrać* przez trzy marne minuty. Czy to tak wiele?

Nie pamiętam, żebym jakoś szczególnie się nad tym zastanawiała, ale zanim zdałam sobie sprawę z tego, co robię, rzuciłam kartkę na podłogę, zebrałam myśli i zaczęłam recytować monolog April o motylku z musicalu *Company*[9].

Zza stołu dobiegały mnie pomruki protestu, ale je zlekceważyłam. Niewzruszona ciągnęłam swoją opowiastkę o kokonie, motylku, kotku i chłopaku, która to stanowiła doskonały portret postaci April. Jej największym problemem był fakt, że zaliczała się do istot raczej głupiutkich. Może i zwariowałam, a może wszystkie

---

[9] *Company* – musical z 1970 roku z muzyką i librettem S. Sondheima na podstawie scenariusza G. Furtha, który w humorystyczny sposób porusza kwestię miłości i związków (przyp. tłum.).

problemy i zmartwienia z ostatnich dwóch miesięcy skumulowały się i kazały mi odreagować. W tamtym momencie kompletnie mnie to nie obchodziło.

Kiedy skończyłam, spojrzałam ponownie na przesłuchujących.

— Cóż... To było... — zaczęła kobieta.

Lepiej jej przerwać teraz, kiedy byłam jeszcze nakręcona.

— Bardzo dziękuję, że zdecydowali się państwo poświęcić mi swój czas — powiedziałam i się ulotniłam.

Roxie skończyła już się pakować i czekała na mnie z entuzjastycznym uśmiechem.

— I jak poszło?

Zachichotałam.

— Powiedzmy, że powinni mnie zapamiętać.

— Świetnie!

Poprawiłam torbę na ramieniu.

— Dzięki wielkie. To było naprawdę miłe z twojej strony.

— Żaden problem. Musimy się trzymać razem, prawda? — Posłała mi znaczące spojrzenie.

— Chyba tak.

— Masz może ochotę na kawę? Mogę być w domu dopiero o szóstej.

Spojrzałam na tę dziewczynę, która - jak mi się wydawało - miała tak idealnie poukładane życie, która cały czas tryskała radością, i nagle zapragnęłam dowiedzieć się, co takiego strasznego jej się przydarzyło. Bo przecież musiało...

— Jasne — odpowiedziałam.

Znalazłyśmy wolny stolik w przytulnej kawiarence za rogiem. Kupiłam dwie duże kawy - sobie bez mleka, a Roxie ze śmietanką i cukrem.

— Tak się cieszę, że to wypaliło — powiedziała. — Zwykle nie pracuję w soboty, ale potrzebna mi była dodatkowa kasa.

Entuzjazm po przesłuchaniu powoli opadał i zaczynałam mieć wyrzuty sumienia.

— Trochę przegięłam — wyznałam skruszona. — Bardzo mi przykro, wiem, że przesłuchali mnie tylko ze względu na ciebie. Mam nadzieję, że nie wpłynie to na twoją pracę.

— Spokojnie. Nie pracuję nawet z tymi ludźmi. Oni są z agencji castingowej wynajętej przez uniwersytet. Dzisiaj zobaczyłam ich po raz pierwszy w życiu.

Uśmiechnęłam się. Poczułam się o wiele lepiej.

— Co ty tam nabroiłaś? — zapytała Roxie.

— Stwierdziłam, że powiem monolog, zamiast czytać ten ich durny tekst. To do mnie niepodobne, ale po tym, co dziś przeszłam...

— Faktycznie, miałaś wizytę. Jak było?

Skrzywiłam się i opowiedziałam, co się stało.

— Ech! Doskonale wiem, o czym mówisz! Niektórzy lekarze to straszne buce, wydaje im się, że mogą traktować nas jak śmieci. Nie potrafię nawet zliczyć, ile tego typu wizyt zaliczyłam. Był taki jeden lekarz, kiedy miałam dziesięć lat...

— Zaraz — przerwałam jej. — Dziesięć? Jak długo masz już...? — To było pewnie zbyt osobiste pytanie, ale nie mogłam się powstrzymać.

— Od urodzenia — odpowiedziała bez cienia urazy w głosie.

Szeroko rozdziawiłam usta.

— Moja mama była zarażona — wyjaśniła.

— Ile masz lat?

— Dziewiętnaście.

Rany. Dziewiętnaście lat z wirusem.

— I dobrze się czujesz?

Wzruszyła ramionami.

— Na razie tak. Biorę jakiś cudowny lek, który zasadniczo chroni mnie przed wszelkimi dolegliwościami.

— Zasadniczo?

— W zeszłym roku przez kilka tygodni leżałam w szpitalu. Przyplątało się paskudne zapalenie płuc.

— Masz AIDS?

— Nie. Jeszcze nie. — Zacisnęła kciuki. — Szacują, że mam jeszcze kilka lat spokoju, zanim nawiedzi mnie Wielkie Zło — roześmiała się.

Nie widziałam w tym nic śmiesznego.

— Jak możesz mówić o tym tak lekko? Nie jesteś przerażona?

— Oczywiście, że jestem. Ale miałam mnóstwo czasu, żeby przyzwyczaić się do choroby. Chcę żyć normalnie.

Zastanowiłam się nad tym chwilę.

— Jak radzi sobie twoja mama?

— Niezbyt dobrze. Umarła — powiedziała Roxie.

— Och, tak mi przykro.

— Nic nie szkodzi, to było dawno temu. — Wzięła łyk kawy. — Od dłuższego czasu jesteśmy sami z bratem.

Poczułam ścisk w sercu.

— Twój brat też to ma?

Uśmiechnęła się.

— Nie.

— Ale... jak to?

— Zanim mama zaszła z nim w ciążę, wiedziała już znacznie więcej o wirusie. Kiedy bierzesz odpowiednie leki, są duże szanse, że nie zarazisz dziecka. Udało się.

— Aha — powiedziałam tylko.

Zaczynało do mnie docierać, jak wielu rzeczy jeszcze nie wiem. Roxie opowiedziała mi o dorastaniu w domach dziecka i o tym, jak wciąż przenosili ją z jednego ośrodka do drugiego, a ona musiała cały czas walczyć o to, żeby nie rozdzielano jej z bratem. W dniu swoich osiemnastych urodzin złożyła wniosek o przyznanie opieki nad bratem i od tamtej pory pracowała na ich utrzymanie. Większość życia spędziła w zatłoczonych poradniach specjalistycznych, a leczenie fundowały jej organizacje non-profit. W tym momencie o wiele bardziej doceniłam własną rodzinę.

— To dla Alexa tak bardzo dbam o własne zdrowie — wyjaśniła Roxie. — Nie mogę sobie pozwolić na siedzenie i użalanie się nad sobą. On ma tylko jedenaście lat. Jeśli ja umrę, on trafi z powrotem pod opiekę państwa... — przerwała i wzięła łyk kawy. — A jaka jest twoja historia? — zapytała.

— Moja?

— Tak.

„Cholera. Szczerość za szczerość" - teraz nie mam wyjścia. Ze wzrokiem utkwionym w kawie opowiedziałam jej o sobie. Było mi łatwiej niż w przypadku Evana i moich rodziców - Roxie wiedziała już, że mam HIV.

— Masz ten wynik dopiero od miesiąca? — zdziwiła się, kiedy skończyłam.

— Tak. A ojcowie dowiedzieli się tydzień temu.

— Och, Lucy. Jak sobie radzisz?

— Nie wiem. Jestem trochę zagubiona — przyznałam.

— Słuchaj, musisz chodzić na nasze spotkania. Uwierz mi - one pomagają. Ja zaczęłam, kiedy skończyłam podstawówkę. Zaufaj mi, dobrze jest mieć takie miejsce, w którym można spotkać osoby, które mają podobne problemy.

— Chyba masz rację.

— A poza tym miło cię mieć w naszym gronie. Nie przychodzi zbyt wielu osób w naszym wieku. — Wzruszyła ramionami. — Nie mam pojęcia dlaczego.

— Pewnie dlatego, że większość osób w naszym wieku nie jest aż tak głupia, żeby zrobić to co ja — powiedziałam gorzko.

— Przestań. Nie jesteś głupia. Popełniłaś tylko błąd. To się zdarza.

Skrzyżowałam ramiona i wcisnęłam się w krzesło.

— Błąd.

— A jak ty byś to nazwała?

— Co powiesz na „idealną karę za nieodpowiedzialne czyny"?

— Karę?

— Tak, karę.

— Więc zamierzasz się wciąż winić?

— A kogo jeszcze mam winić?

Roxie zacisnęła usta.

— Wiesz, takie myślenie z pewnością nie pomaga twojej… — *Drrryń*. Zadzwonił jej telefon. — Przepraszam, muszę odebrać — powiedziała i otworzyła klapkę. — Cześć braciszku… Tak, właśnie wracam do domu. Powiedz pani Wu, że niedługo będę… Też cię kocham. Pa, pa. — Rozłączyła się i zwróciła się do mnie.

— Muszę iść, nie miałam pojęcia, że jest tak późno. Kiedy jestem w pracy, bratem opiekuje się nasza sąsiadka, ale zaczyna marudzić, kiedy Alex siedzi u niej cały dzień.

— Nie ma sprawy — powiedziałam. I tak nie miałam ochoty na dalszą rozmowę.

— Więc widzimy się we wtorek, tak? — zapytała.

— Tak, widzimy się we wtorek. — potwierdziłam.

Roxie zebrała swoje rzeczy, wzięła jeszcze jeden łyk kawy i już jej nie było.

Na dworze było ciemno. Powinnam była już pojechać do domu, ale nie mogłam przestać myśleć o moim „błędzie". Własne słowa rozbrzmiewały mi jeszcze w głowie: „A kogo jeszcze mam winić?".

Niedługo wrócę.

Muszę jeszcze tylko coś załatwić.

Krocząc w cieniu

Temperatura na dworze znacznie spadła. Szybko włożyłam zimową czapkę i rękawiczki, które zapobiegliwie wcisnęłam do torby, wychodząc rano z domu. Szczelnie się opatuliłam i wytrwale maszerowałam przed siebie.

Od Spring Street oddzielało mnie już tylko kilka budynków, ale kiedy doszłam do skrzyżowania z Mercer Street, byłam skonsternowana: w lewo czy w prawo? Większość szczegółów z tamtego zamroczonego alkoholem wieczoru i przytłumionego kacem poranka było rozmytych i nie mogłam sobie przypomnieć ani dokładnego adresu, ani nawet pobliskiego skrzyżowania. Pamiętałam tylko czerwone drzwi.

Postanowiłam skręcić w lewo. Wysilając wzrok w ciemności okraszonej odbijanym w sklepowych witrynach osobliwym blaskiem latarni, wpatrywałam się w każde mijane przeze mnie drzwi. Kiedy doszłam do wschodniego końca Spring Street, zrozumiałam, że obrałam jednak zły kierunek. Zawróciłam więc sfrustrowana, ale nie zniechęcona.

Po piętnastu minutach znalazłam to, czego szukałam.

Drzwi były mniejsze, niż je zapamiętałam, a ich czerwień była ciemniejsza i spokojniejsza od agresywnego odcienia gorącej lawy, który miałam w pamięci. Byłam jednak pewna, że to właśnie tu, w tym budynku mieszkał Lee. Na domofonie było dziesięć przycisków – po dwa na każde piętro.

Szybko przeliczyłam w pamięci: tego okropnego poranka zbiegłam cztery piętra w dół, więc Lee musi mieszkać na piątym. Zabawne, jakie szczegóły człowiek zapamiętuje.

Przyciski miały etykietki.

5A: J. GONZALEZ
5B: L. HARRISON

Zamknęłam oczy, policzyłam do pięciu. Czułam ucisk w żołądku. Powoli podniosłam dłoń i zadzwoniłam pod 5B.

Kolejne sekundy oczekiwania wydawały się trwać wiecznie. Dopadł mnie strach, a mój nie do końca przemyślany plan nie wydawał się już tak rozsądny, jak na początku sądziłam.

„Co ja tu robię?

Co mu powiem?

Czy w ogóle mnie jeszcze pamięta?"

Nagle poczułam, że muszę znaleźć się jak najdalej stąd. Nie powinnam była tu przychodzić. Co ja sobie wyobrażałam? Ale stałam jak sparaliżowana i nie byłam w stanie się poruszyć.

Może nie ma go w domu. Tak byłoby najlepiej.

— Tak? — odezwał się głos w domofonie.

To był on. Zaschło mi w ustach.

— Tak? — powtórzył.

„Nic nie mów — rozkazał mi głos w mojej głowie. — Bądź cicho, a rozłączy się".

— Lee? — usłyszałam własny głos.

„Lucy, ty głupia dziewucho, co robisz!"

— Tak? Kto tam?

— Pewnie mnie nie pamiętasz. Jestem Lucy. Spotkaliśmy się kilka miesięcy temu…

Zapadło dłuższe milczenie. Obok mnie, trzymając się za ręce, przeszła jakaś para.

— Lucy. Tak, pamiętam. Co ty tu robisz?

— Mogę wejść? — zapytałam, nie chcąc prowadzić rozmowy przez domofon.

Znowu cisza.

— To nie jest dobry moment — powiedział w końcu.

— Tylko na chwilę — nalegałam. — To nie zajmie dużo czasu.

— Jestem zajęty, więc…

Wiem, że powinnam była zrozumieć tę aluzję, ale im dłużej Lee próbował się mnie pozbyć, tym bardziej chciałam tam wejść. Wiedział, że przyszłam porozmawiać z nim o tym, co się wydarzyło, i za wszelką cenę chciał uniknąć konfrontacji. Postanowiłam, że nie dam się tak łatwo spławić. Przyszłam tu, żeby powiedzieć mu o jego winie i zamierzałam dopiąć swego. Bez wątpienia zasłużył sobie na to.

Zrozumiałam, że z własnej woli mi nie otworzy, więc nic nie odpowiedziałam. Niech myśli, że odpuściłam i poszłam sobie. Poprawiłam czapkę i szalik, a następnie oparłam się o drzwi, zamierzając stać tam tak długo, jak będzie to konieczne.

Nie musiałam długo czekać. Po kilku minutach pojawił się jeden z mieszkańców. Przytrzymałam stopą zamykające się drzwi i błyskawicznie wślizgnęłam się do środka.

Szybko wbiegłam na piąte piętro, starając się nie myśleć o tym, co zaraz miało nastąpić. Powiem swoje i się zmyję.

Dłonią opatuloną w mitenkę trzykrotnie krótko, ale zdecydowanie zapukałam do drzwi Lee. Na korytarzu dały się słyszeć jego stłumione przekleństwa. Stałam przerażona, myśląc, że serce wyskoczy mi zaraz z piersi.

Otworzył. Kiedy tylko go zobaczyłam, zrobiłam gwałtowny wdech. Był tak samo piękny i seksowny jak tamtej nocy. Jego pozbawiony koszulki tors pokryty był lśniącą warstwą potu, która uwydatniała jego muskulaturę oraz tatuaże. Stał w odpiętych dżinsach, jakby dopiero co zdążył je wciągnąć. Świdrował mnie wzrokiem, ale ogień w jego oczach tylko jeszcze bardziej rozjaśnił jego twarz.

Jednak ciepłe uczucia po krótkiej chwili wyparowały, a ich miejsce natychmiast zajęła pogarda.

Nerwowo odchrząknęłam.

— Musimy pogadać — zaczęłam.

Nic nie odpowiedział. Mierzył mnie wzrokiem, coraz mocniej marszcząc brwi.

— Co tak patrzysz? — zapytałam ostro.

— Wyglądasz inaczej — odpowiedział zmieszany.

Spojrzałam na siebie. Rzeczywiście, mógł być trochę zdziwiony. Zamiast skąpego czarnego zestawu, który miałam na sobie, kiedy się poznaliśmy, tym razem ubrana byłam w dżinsy, płaskie buty, puchową zieloną kurtkę i wełnianą czapkę w kolorach tęczy oraz mitenki. Dzisiaj musiałam wyglądać zdecydowanie bardziej na swój wiek.

Ale zanim zdążyłam cokolwiek mu wytłumaczyć, moją uwagę zwrócił ruch za plecami Lee. W mieszkaniu ktoś jeszcze był. Zrobiłam krok w tył, żeby mieć lepszy widok. Lee pospiesznie zamknął drzwi i wyszedł na korytarz. I tak udało mi się dostrzec nagie nogi kobiety wystające spod kołdry.

— Czego chcesz? — warknął nieuprzejmie.

Stałam tak, milcząc przez chwilę i porządkując własne myśli. On nie próbował unikać rozmowy - on próbował się mnie pozbyć, ponieważ był z kimś w łóżku. Z dziewczyną, która nie miała zapewne bladego pojęcia, w co się pakuje.

Nagle ponownie wstąpiła we mnie odwaga.

— Ilu osobom to zrobiłeś? — zapytałam.

— Co zrobiłem?

Spojrzałam mu prosto w oczy.

— Dobrze wiesz, o czym mówię.

Zaśmiał się pobłażliwie.

— Lucy, było nam fajnie. Ale to jednorazowa sprawa, nie licz na więcej. A teraz naprawdę nie mam na to czasu, więc lepiej, żebyś już poszła, zanim zgłoszę policji wtargnięcie.

On myślał, że przyszłam tu, żeby się z nim jeszcze raz zabawić. Posłałam mu ironiczny uśmiech.

— Proszę, wzywaj. Jeśli chodzi o ciebie, też mam kilka rzeczy do zgłoszenia.

— O czym ty mówisz?

Ciężko westchnęłam.

— Zaraziłeś mnie.

Chwila ciszy.

— Co to znaczy „zaraziłeś mnie"? Niby czym miałbym cię zarazić? Jestem zdrowy.

Uważnie mu się przyglądałam, szukając w jego twarzy oznak kłamstwa albo skruchy. Ale miał neutralny wyraz twarzy, a wzrok spokojny i niewinny.

Chyba nie miał zamiaru wziąć sobie do serca tego, o czym mówiłam. Było gorzej, niż sądziłam.

— Owszem, masz HIV— powiedziałam ostrożnie. — I przeniosłeś to na mnie.

Lee patrzył na mnie szeroko otwartymi oczyma. Potrząsnął gwałtownie głową.

— Mylisz się. Zaraziłaś się od kogoś innego — stwierdził, ale tym razem już mniej pewnie.

Obserwowałam go w milczeniu. Marszczył czoło i zaciskał szczękę. Zaczęło to do niego docierać. W tej chwili w umyśle Lee chęć zanegowania ścierała się z niezaprzeczalnymi faktami. Doskonale go rozumiałam, sama przez to niedawno przechodziłam. Znam tę szarpaninę myśli, tę desperacką chęć odrzucenia tego, co wiedziałam, że niestety jest prawdą. Zastanawiałam się, czy moja twarz wyglądała tak samo, kiedy Diane podała mi wyniki...

On naprawdę nie wiedział. Prowadził swoje beztroskie życie, grał w zespole i nawet nie pomyślał, że powoli umiera. A oto ja, niczym kostucha, pukam teraz do jego drzwi. Nic dziwnego, że tak zareagował. Żałowałam, że w ogóle tu przyszłam.

Nie, moment. Dobrze, że przyszłam. On musiał się dowiedzieć. Kto wie, jak długo już to ma. Kto wie, ile osób zdążył zarazić albo zrobi to w przyszłości. Może uratowałam życie dziewczynie w jego sypialni.

— Lee? — zawołała zniecierpliwiona.

Oboje byliśmy tak zagubieni we własnych myślach, że nagłe przywołanie do rzeczywistości zabrzmiało jak fałszywy ton.

W napięciu patrzyliśmy na siebie jeszcze przez chwilę.

— Lee, wracasz do łóżka? — Jej głos ponownie przerwał ciszę.

Zamrugał.

— Muszę iść — powiedział i zniknął, zamykając za sobą drzwi.

Kapka szczęścia

Dłuższą chwilę stałam jeszcze przed mieszkaniem Lee. Myślałam, że może wyjdzie, że kiedy już to wszystko do niego dotrze, będzie chciał dokończyć rozmowę.

Ale tego nie uczynił.

Przeszłam niewielki korytarz. Może rozmawiał z tą dziewczyną? Może byli w poważniejszym związku, a ona pocieszała go, kiedy jej powiedział, co się stało? Może przekonywała go, żeby wyszedł i ze mną porozmawiał?

Przytknęłam ucho do drzwi i nasłuchiwałam przez chwilę.

Nie rozmawiali. Usłyszałam za to inne odgłosy.

Wydałam z siebie stłumiony okrzyk i przerażona odeszłam od drzwi. Jak on mógł wrócić do niej i jak gdyby nigdy nic uprawiać z nią seks? Nie miałam najmniejszych wątpliwości, że zrozumiał, co mu powiedziałam, że uwierzył. Jego reakcja była jednak zupełnie nieracjonalna. Nieodpowiedzialna.

Powinien był przynajmniej okazać skruchę za to, co mi zrobił. Tak bardzo chciałam, żeby wziął na siebie współodpowiedzialność, żebym nie musiała się już dłużej obwiniać. Sądziłam naiwnie, że mnie przynajmniej przeprosi. Tak bardzo tego potrzebowałam...

Ale Lee nie chciał przyjąć do wiadomości tego, co powiedziałam.

Instynktownie wyciągnęłam telefon. Pomyślałam, że Max pewnie wiedziałby, co robić, a przynajmniej potrafiłby mnie pocieszyć.

Ale kiedy już miałam się z nim połączyć, przypomniało mi się: Max i ja nie byliśmy już przyjaciółmi.

Nie było już nic, co mogłabym zrobić. Byłam już zmęczona i nie chciałam tracić resztek sił. Wróciłam do domu, gdzie czekało na mnie moje nędzne półżycie.

Nigdy nie przyznałabym się do tego Andre, ale po cichu zaczęłam się cieszyć, że nie obsadził mnie w roli Julii. Coraz trudniej było mi znaleźć na to wszystko czas. Cztery krótkie sceny mojego Merkucja to było aż nadto - szkołę i teatr musiałam godzić ze spotkaniami grupy wsparcia, wizytami u lekarzy i całą resztą, z którą przyszło mi się zmagać.

Ale to nie oznaczało, że nie chciałam zagrać tak dobrze, jak to tylko było możliwe. Scena pojedynku mocno odstawała jednak poziomem od reszty.

W poniedziałek po południu podeszłam na próbie do Evana. To był pierwszy raz, kiedy odezwałam się do niego po tamtej nieszczęsnej, szczerej rozmowie.

Kiedy zobaczył, że do niego podchodzę, wyprostował się i zamknął komiks, który właśnie czytał.

— Lucy... cześć — powiedział wystraszony.

Zerknęłam przez ramię, żeby sprawdzić, czy nikt nas nie będzie słyszał i przeszłam od razu do rzeczy.

— Nasz pojedynek jest beznadziejny, Evan. Nie wiem, jakie zasady mieliście w waszym kółeczku teatralnym w Kalifornii, ale to jest Nowy Jork. Na przedstawienia przychodzą producenci z Broadwayu i agenci teatralni, i nie zamierzam zrobić z siebie idiotki. Musisz więc odstawić swoje żałosne ruchy wystraszonego kotka za drzwi i walczyć ze mną jak mężczyzna. Rozumiemy się?

Wyglądał jak łoś znieruchomiały na środku drogi i wpatrzony w światła jadącego wprost na niego samochodu. Udało mu się jednak skinąć głową.

— Zrobię, co w mojej mocy.

— To musi być na poziomie. Ta sztuka to wszystko, co teraz mam, i nie pozwolę, żebyś mi to schrzanił.

— Jasne.

Kiedy mieliśmy zaczynać, Andre zwrócił się do wszystkich.

— Witajcie, moi kochanii! Razem z dzisiejszą zostało nam jeszcze dziewięć prób. Dzień premiery nadejdzie, nim się obejrzycie, więc pożytecznie wykorzystajmy ten czas!

— Oczywiście! — powiedziała Elyse, wbiegając po schodach na scenę, żeby dołączyć do Andre. — Razem z Ty'em stwierdziliśmy wczoraj wieczorem, że to będzie absolutnie najlepsza ze wszystkich produkcji w Eleanor Falls. I jako odtwórcy głównych ról chcielibyśmy podziękować wszystkim wam za ciężką pracę.

Przynajmniej tym razem nie tylko ja patrzyłam na nią z pogardą. Miałam wrażenie, że jej przesłodzona protekcjonalność każdemu wychodzi już bokiem.

Zerknęłam na Evana. Przewrócił oczami i oboje się roześmieliśmy. Już nie pamiętałam, kiedy się ostatnio coś takiego zdarzyło.

— Aby okazać wam naszą wdzięczność — mówiła dalej Elyse — przynieśliśmy ciasteczka! — Podniosła dwie puszki. — Domowej roboty! Dwa ostatnie tygodnie świetnych prób czas zacząć!

Ku mojemu wielkiemu rozczarowaniu w sali rozległy się okrzyki radości. Nie spodziewałam się, że zespół da się tak łatwo przekupić.

— To nie do wia… — zwróciłam się do pustej przestrzeni, gdzie przed chwilą stał Evan. Wraz z innymi wchodził właśnie na scenę, żeby poczęstować się ciasteczkiem.

Minęłam ich wszystkich i skierowałam prosto do stołu z rekwizytami. Elyse mogła się udławić tymi swoimi łakociami. Ja chciałam mój miecz. Z jakiegoś powodu wiedziałam, że uzbrojona poczuję się lepiej.

Kiedy przechodziłam obok zajętego konsumpcją tłumku, usłyszałam rozmowę Elyse z Ty'em.

— Nie spróbujesz, kochanie? — pytał jej. — Twoja mama tak się napracowała.

„Ha! Elyse nawet nie kiwnęła palcem przy tych cholernych ciasteczkach - upiekła je jej mama".

— Chyba nie mówisz poważnie — odpowiedziała. — Wiesz, że nie jem cukru!

— Ellie, masz idealną figurę. Możesz jeść, cokolwiek zechcesz — kadził jej Ty.

Nie mogłam już dalej tego słuchać. Zakryłam uszy dłońmi i zaczęłam nucić pod nosem, żeby tylko ich zagłuszyć.

Moja scena z Evanem szła dobrze. Prawdopodobnie niechęć, jaką wywołał, przedkładając ciasteczka Elyse nad naszą miłą i pozbawioną wrogości pogawędkę, dodała naszemu dialogowi pewien pazur.

JA

Pójdź tu, Tybalcie, pójdź tu, dusiszczurze!

EVAN

Czego ten człowiek chce ode mnie?

JA

Niczego, mój ty kocikrólu, chcę ci wziąć tylko jedno życie spomiędzy dziewięciu, jakie masz, abym się nim trochę popieścił; a za nowym spotkaniem uskubnąć ci i tamte ośm, jedno po drugim. Dalej! wyciągnij za uszy szpadę z powijaka, inaczej moja gwiźnie ci koło uszu, nim wyciągniesz swoją.

EVAN

Służę waćpanu.

TY

Merkucjo, schowaj szpadę, jak mnie kochasz.

JA
Pokaż no swoje passado.

I tu nastąpiła walka. Była ona jednak równie drętwa i toporna, jak podczas niezliczonych innych prób. W chwili gdy wyciągnęliśmy nasze miecze, każdy, najdrobniejszy nawet ruch Evana naznaczony był niemal namacalnym wahaniem. Wciąż się mnie bał. Na dwa tygodnie przed premierą powinniśmy odgrywać nasz układ bez najmniejszego choćby wahania, a wręcz brawurowo. My natomiast wciąż się potykaliśmy, jakbyśmy walczyli z zawiązanymi oczami. Z drugiego końca sali dochodziły nas bezsilne westchnienia Andre.

— Mamy przerwać? — zwróciłam się w stronę ciemnej widowni.

— Po co? Naprawdę nie mam już pojęcia, co z wami począć — odpowiedział zbolałym głosem Andre.

Właśnie kończyliśmy powtarzanie naszych scen, kiedy odezwał się mój telefon.

— Wybacz, myślałam, że wyłączyłam dźwięk — przeprosiłam Ty'a, który był właśnie w środku swojego końcowego monologu. Elyse rzuciła mi nienawistne spojrzenie ze swojego łoża śmierci.

Pospiesznie wygrzebałam telefon i wyciszyłam. Na ekranie migał jakiś obcy numer, ale zaczynał się od 212 - kierunkowego na Manhattan.

Wyślizgnęłam się na korytarz i odebrałam.

— Tak?

— Dzień dobry, czy rozmawiam z Lucy Moore? — odezwał się pogodny męski głos.

— Tak, to ja.

— Nazywam się Darren Clark z CBG Creative.

„CGB Creative? Czy to…?

Ale dlaczego dzwoni do mnie? Nie ma szans, żebym dostała tę pracę".

— Dzień dobry.

— Chciałbym podziękować ci za to, że przyszłaś w sobotę. Bez wątpienia wypadłaś interesująco.

— Bardzo za to przepraszam — powiedziałam.

— Ależ nic nie szkodzi. Rozumiesz pewnie, że w związku z tym nie jesteśmy w stanie zaproponować ci tej roli.

— Tak, oczywiście. — Po co w takim razie do mnie dzwoni?

— A jednak... bardzo nam się spodobałaś, Lucy. Twój ognisty temperament zainspirował nas. Przeprowadziliśmy dziś kilka spotkań i przedyskutowaliśmy projekt z naszym klientem.

— Tak?

— I zgodnie doszliśmy do wniosku, że kampanię trzeba ożywić - pierwotna koncepcja była zbyt sucha. Wszystko więc zmieniliśmy. Nasza rzeczniczka nie będzie mówiła prosto do kamery, jak wcześniej zakładaliśmy, ale odegra kilka miniscenek. Różne kostiumy, charakteryzacje i miejsca; różne postaci - fotograf, lekarz, polityk, skrzypaczka. A na końcu spotu pojawi się spinający to wszystko slogan: „NYU: Kimkolwiek zechcesz być". Co o tym myślisz?

„Co ja mam tu do powiedzenia? Chyba że..."

Zacisnęłam telefon w mokrej nagle od potu dłoni, żeby nie wysunął się na podłogę.

— Brzmi fantastycznie.

— To dobrze — Podświadomie wyczułam, że mówiąc to, Darren się uśmiechnął. — Bo masz tę rolę. Oczywiście, jeśli jesteś nadal zainteresowana...

— Naprawdę?! — zapiszczałam. — Oczywiście, że jestem zainteresowana! Tak!

Darren się roześmiał.

— Świetnie. Będziemy kręcić w środku stycznia. Moja asystentka prześle ci szczegóły. Przejrzyj umowę i zadzwoń, jeśli będziesz miała jakieś pytania.

— Tak, jasne. Bardzo, bardzo dziękuję!

— To ja dziękuję, Lucy. Jak już wspomniałem, zainspirowałaś nas. Cieszę się, że do nas dołączasz. Będziemy w kontakcie — zakończył rozmowę i się rozłączył.

Przycisnęłam telefon do piersi i oparłam się o ścianę. Czy ja śniłam? Dla pewności ponownie sprawdziłam telefon. Numer CBG Creative wciąż tam był, na pierwszym miejscu połączeń przychodzących. Dowód na to, że sobie tego nie wymyśliłam. To działo się naprawdę.

Pobiegłam z powrotem do sali, czując przypływ energii życiowej, jakiej nie miałam od wielu miesięcy. Elyse była właśnie w środku swojej sceny śmierci - cieszyłam się, że to jej właśnie mogłam przerwać.

— Słuchajcie! — krzyknęłam. — Nie uwierzycie, właśnie dostałam rolę w reklamie - będzie puszczana w całych Stanach!

Cały zespół nagle zapomniał o Elyse i zasypał mnie gratulacjami. Opowiedziałam im o projekcie i nie mogłam powstrzymać narastającej satysfakcji, którą czułam na widok nieskrywanej zazdrości Elyse.

Instynktownie rozglądałam się za moimi przyjaciółmi. Courtney i Evan niepewnie dreptali na skraju sceny, nie wiedząc, co powinni zrobić. Znałam ich wystarczająco dobrze, żeby wiedzieć, że biją się teraz z myślami. Przełamać się i dołączyć do reszty mimo narosłych między nami osobistych konfliktów? A może lepiej odseparować się od grupy i wykorzystać okazję do zademonstrowania mi, jak dalekie od ideału wciąż były nasze relacje...

Obserwowałam ich twarze, kiedy pojawił się przede mną uśmiechnięty Max.

— Gratulacje, Lucy — rzekł krótko.

Powiedział do mnie „Lucy", a nie „Luce", jak zwykł mnie nazywać, i nie dodał nic więcej. Jednak w porównaniu z zachowaniem Courtney i Evana krótkie gratulacje Maxa wydawały się ogromnym prezentem.

Odwzajemniłam jego uśmiech.

— Dzięki — powiedziałam, promieniejąc radością. Może ta mała wymiana zdań była właśnie tym, czego potrzebowaliśmy – pierwszym krokiem ku odbudowie naszej przyjaźni.

Nagle przez tłum przecisnął się Ty, przytulił mnie, a następnie uniósł do góry.

— Jestem z ciebie taki dumny, Lu — wyszeptał. Ciepło i siła jego ramion przywołały dawne wspomnienia. Nie zdawałam sobie nawet sprawy, jak bardzo mi tego brakowało.

Elyse nie ruszyła się ze swojego miejsca na scenie – tkwiła tam z posępną miną. Będąc wciąż w ramionach Ty'a, ze złośliwą satysfakcją posłałam jej zwycięski uśmiech. Odpowiedziała wściekłym spojrzeniem.

Rzecz nabyta

Tata uśmiechnął się i podniósł szklaneczkę z oranżadą imbirową. — Za Lucy. Niech to będzie początek drogi pełnej wspaniałych sukcesów!

— Za Lucy! — powtórzył wyraźnie wzruszony Papa.

— Czy wznoszenie toastów napojem bezalkoholowym nie przynosi pecha? — gderliwie zauważyła Lisa.

Tata posłał jej wymowne spojrzenie.

— W naszej rodzinie nie jesteśmy zbyt przesądni.

Lisa przewróciła tylko oczami i ostentacyjnie nałożyła sobie sporą porcję lasagne.

Po raz pierwszy od wieków cała nasza czwórka zasiadła wspólnie do kolacji. Dziś wieczorem nikogo nie goniły żadne spotkania i terminy, a kiedy ojcowie usłyszeli o moim sukcesie, obaj wrócili wcześniej z pracy. Lisa właśnie wychodziła, ale Tata ją zatrzymał. Siedziałam w pokoju obok i usłyszałam ich rozmowę:

TATA

Dokąd idziesz?

LISA

Co cię to obchodzi?

TATA

Lucy właśnie odniosła sukces i będziemy dziś świętować. Chcielibyśmy, żebyś do nas dołączyła.

LISA

Niestety, mam już inne plany.

TATA

Niestety, to nie jest prośba.

Koniec sceny.

Teraz, patrząc na Lisę zapychającą się chlebem z masłem czosnkowym, zdałam sobie sprawę, że ostatnio rzadko ją widuję. Przez pierwsze kilka miesięcy pobytu u nas zawsze była gdzieś na horyzoncie, to wylegując się na kanapie, to buszując w lodówce albo prosząc o podwiezienie. Ale ostatnio nie było jej nigdzie widać. Trochę mnie to dziwiło. W Eleanor Falls raczej nie miała znajomych.

Szybko jednak odsunęłam od siebie myśli dotyczące Lisy i zajęłam się posiłkiem. Miałam pierwszy naprawdę dobry dzień od dłuższego czasu i nie chciałam psuć go zamartwianiem się o tę kobietę.

— Co sądzisz o umowie, Papo? — zapytałam między jednym kęsem a drugim.

— Standardowa — odpowiedział, kiwając z aprobatą. — Związkowa skala płac i tantiemy, pełna zgodność z zapisami kodeksu pracy w kwestii osób młodocianych. Zgodnie z prawem stanu Nowy Jork określony procent twoich zarobków trafi do funduszu powierniczego, do którego dostęp otrzymasz w momencie uzyskania pełnoletniości. Hmm... Mógłbym pewnie wynegocjować też zwolnienie z czesnego na uniwersytecie.

Westchnęłam. College nie należał ostatnio do moich priorytetów.

— Może... — powiedziałam.

— Co to znaczy „może”? — powiedział, marszcząc czoło. — Nadal chcesz tam studiować, tak? Z twoimi ocenami...

Tata głośno odchrząknął.

— To rozmowa nie na teraz — powiedział Papa. — W każdym razie do umowy nie mam zastrzeżeń.

— To taka świetna okazja dla ciebie, kochanie! — wtrącił Tata. — Na pewno cieszysz się, że poznałaś Roxie.

— Kim jest Roxie? — zapytała Lisa.

Roxie! Zupełnie zapomniałam!

— Muszę zadzwonić — powiedziałam. — Dzięki za kolację. Była pyszna.

Pobiegłam na górę do swojego pokoju i chwyciłam telefon. Z zaskoczeniem stwierdziłam, że Ty przysłał mi SMS.

Jestem z Ciebie dumny! :)

Uśmiechnęłam się i odpisałam szybko: **Dzięki!!! :)**, a następnie wybrałam numer Roxie. Odebrała po czwartym sygnale.

— Lucy?

— Dostałam tę rolę! — wykrzyknęłam.

— Jaką rolę? Czekaj no… *Tę* rolę?

— Tak! A w dodatku zmienią koncepcję, więc będę mogła zagrać różne postaci. Będzie świetnie!

Moje ucho przeszyły piski Roxie.

— O rany, to niesamowite! Będziesz sławna!

Roześmiałam się.

— Tego nie jestem pewna, ale wydaje mi się, że to całkiem niezły początek.

— Koniecznie musimy to uczcić. Co powiesz na lunch przed jutrzejszym spotkaniem? Ty stawiasz.

Ponownie się roześmiałam.

— Jutro kończę próbę o wpół do szóstej, więc najwcześniej mogłabym się spotkać o szóstej albo szóstej trzydzieści. Może być?

— Jasne. Znam świetną indyjską knajpkę w East Village. Jest tanio, a na deser dają darmowe lody.

— Świetnie.

~

To była najbardziej szalona knajpka, w jakiej kiedykolwiek byłam. Lokal rozmiaru mojego pokoju mieścił tylko pięć stolików.

Wypełniała go dynamiczna indyjska muzyka w stylu disco, a ściany i sufit całe obwieszone były migoczącymi lampkami bożonarodzeniowymi - niektóre z nich wisiały tak nisko, że dotykały naszych głów. Całości dopełniała kula dyskotekowa podwieszona na środku sufitu, jakby i bez niej nie było dość ciasno między stolikami, nie mówiąc już o znikomym miejscu do tańca.

— Najlepsze w tym miejscu jest to, że można wnosić własne napoje — powiedziała Roxie, wyciągając z torby butelkę szampana.

— Och, sama nie wiem... — zawahałam się. Nie byłam pewna, czy po ostatniej przygodzie jestem gotowa na alkohol.

— Jeden kieliszek — obiecała Roxie. — Tylko tak możemy to uczcić.

— No dobrze, tylko jeden.

Stuknęłyśmy się kieliszkami i popiłyśmy szampana. Kichnęłam, kiedy tylko bąbelki uderzyły mi do nosa.

— Na zdrowie!

— Dzięki— odpowiedziałam, chichocząc.

Zamówiłyśmy pierożki samosa, szpinak z ciecierzycą, czyli chana saag, i kurczaka tikka masala. Jedzenie podano prawie natychmiast. Jadłyśmy, piłyśmy, gadałyśmy i się śmiałyśmy. Po krótkim czasie miałam wrażenie, jakbym znała Roxie od zawsze. Może to była „siostrzana" więź, którą poczułam, a może szampan zaszumiał mi w głowie, w każdym razie stwierdziłam, że chcę wypytać Roxie o różne rzeczy. Miałam mnóstwo wątpliwości i coś mi mówiło, że dowiem się od niej znacznie więcej niż od lekarzy.

— Jeśli zadam ci kilka pytań — zaczęłam — odpowiesz na nie szczerze?

— Jestem niczym otwarta księga, moja droga — powiedziała z uśmiechem.

Wzięłam łyka szampana i skinęłam głową.

— Kto wie, że masz HIV?

— Mój brat, pani Wu, moi lekarze, moja przyjaciółka Monica i osoby z naszych spotkań — wymieniła bez zająknięcia.

— W pracy nikt nie wie?

— Nie.

— A kiedy chodziłaś do szkoły? Powiedziałaś komuś?

— Absolutnie nie.

— Dlaczego?

— Lekarze mi odradzili. Wynikają z tego tylko same kłopoty - rodzice nie chcą, żeby ich dzieci grały z tobą w jednej drużynie na WF-ie, nauczyciele stawiają ci lepsze oceny z litości, wszyscy patrzą na ciebie, jakbyś miała trzy cycki. Widziałam takie sytuacje - to nie jest fajne.

— Miałaś kiedyś te zmiany na skórze?

— Tych czerwonych nie, ale miałam pleśniawki.

— Co to jest? — zapytałam.

— To obrzydliwa biała wysypka w ustach. Okropna — wyjaśniła rzeczowo Roxie.

Przełknęłam ślinę. Dobra, jedziemy dalej.

— Miałaś kiedyś chłopaka?

— Tak, oczywiście.

— Uprawiałaś z nim seks?

— Jasne.

Otworzyłam szeroko oczy.

— Ale jak?

— Kondomy, kobiece kondomy, kondomy smakowe, koferdamy[10]...

— Dobra, już łapię. Nie boisz się, że coś pójdzie nie tak i przypadkowo zarazisz tym inną osobę?

— Tak, czasami. Ale co zrobić? Przejść na dożywotni celibat? Czy to w ogóle możliwe?

— Nie wiem...

---

[10] Koferdam - lateksowy kwadrat o boku ok. 10 cm stosowany w zabiegach stomatologicznych jako substytut ligniny, a jednocześnie jako materiał izolujący jamę ustną. W różnych formach kontaktów płciowych koferdam może pełnić rolę zabezpieczenia przed chorobami przenoszonymi drogą płciową (przyp. tłum.).

— A poza tym, szanse na to, żeby podczas seksu facet zaraził się od kobiety, są dość małe. Nie jest to niemożliwe, ale trudne. I to w przypadku, jeśli nie stosujesz żadnego zabezpieczenia. Więc z zabezpieczeniem nie powinnaś się niczym martwić.

Zastanawiałam się nad tym jeszcze przez moment.

— A co z ciążą?

— Jak to co?

— Mówiłaś mi, że jeśli bierzesz leki, możesz urodzić dziecko, nie przenosząc na niego HIV, ale co z samym zajściem w ciążę? Jak to zrobić, skoro za każdym razem musisz używać zabezpieczenia?

— Czy słyszałaś kiedyś o sztucznym zapłodnieniu? — powiedziała Roxie.

Westchnęłam.

— To nie jest zbyt romantyczne.

— Uwierz mi, ta choroba w ogóle nie jest romantyczna. W każdym swoim aspekcie jest totalnie denna. — Spojrzała mi w oczy. — Ale się przyzwyczaisz.

— Nie sądzę, żeby kiedykolwiek mi się to udało — odparłam.

— Uda ci się, bo nie masz innego wyjścia — przerwała na chwilę i przyjrzała mi się uważnie. — Niewiele wiesz o HIV, prawda?

— Poszperałam trochę w internecie…

— Nigdy, przenigdy, nie szukaj takich informacji w internecie — ofuknęła mnie. — Połowa tych rzeczy jest niedokładna, a druga zupełnie wyrwana z kontekstu. To katastrofa.

— Naprawdę?

— Naprawdę. — Roxie zaczęła grzebać w swojej przepastnej torbie i wyjęła z niej kilka rzeczy. — Proszę — powiedziała, przesuwając po stoliku książki i broszury. — Tu znajdziesz rzetelne informacje. A w domu mam jeszcze kilka książek - poszukam i ci przyniosę.

Spojrzałam na tytuły. *Prawo i przepisy stanu Nowy Jork w zakresie HIV/AIDS. HIV i ty: żyć pełnią życia. 101 faktów o HIV i AIDS.*

— Cały czas je przy sobie nosisz? — zapytałam, zdziwiona unosząc brew.

— Ryzyko zawodowe — odpowiedziała Roxie ze wzruszeniem ramion.

Kelner postawił przed nami nasze darmowe lody, przywołując mnie tym samym do rzeczywistości. Kiedy Roxie sprawdzała godzinę na telefonie, zdałam sobie sprawę, że pochłonęłyśmy wszystko, łącznie z całą butelką szampana.

— Musimy już iść — powiedziała Roxie. — Za dziesięć minut zaczyna się spotkanie.

Pospiesznie zjadłyśmy nasz deser i biegiem podążyłyśmy przez miasto. Rozchodzący się po ciele szampan nie pozwolił nam poczuć lodowatego chłodu tego listopadowego wieczoru.

Godzinę później szampan wywietrzał z mojej głowy. Kilka osób zdążyło się już *podzielić*, nie wyłączając Ahmeda i Sally/Shelly. Ciepła piwnica i monotonia głosów sprawiły, że z trudem powstrzymywałam opadające powieki.

Ale kiedy usłyszałam moje imię, wyprostowałam się na krześle.

— Lucy — powiedziała Roxie — jesteś dziś bardzo milcząca.

Spojrzałam na nią trochę zdziwiona. Mój wzrok mówił: „Czyżby? Przegadałyśmy przecież kilka godzin. Daj mi teraz spokój i wybierz sobie kogoś innego".

Ale najwyraźniej to do niej nie dotarło.

— Mówiłaś kiedyś, że czujesz, że zasługujesz na karę za swoje decyzje. Wciąż tak uważasz? — zapytała.

Spojrzałam na nią lodowato.

— Chyba tak.

— Dlaczego? — drążyła dalej.

— Nie wiem.

— Być może my ci pomożemy lepiej zrozumieć twoje odczucia. Może podzielisz się swoją historią z resztą grupy?

— Jaką historią?

— Tym, jak to się stało, że masz HIV — zdwała się nie zwracać uwagi na moje zabójcze spojrzenie.

Rozejrzałam się po siedzących w okręgu osobach. Na ich twarzach malowało się wyczekiwanie. Roxie znała już moją historię. Dlaczego stawiała mnie w takiej sytuacji?

— Sama nie wiem — powiedziałam niepewnie.

— Lucy, każdy z nas w pewnym momencie podzielił się swoją historią. To ważny element całego procesu. Mam rację? — zapytała pozostałe osoby. Każda z nich gorliwie przytaknęła.

Może im to pomogło, ale nie mnie. Ja nie byłam taka jak oni. Nie wywlekałam osobistych spraw przed obcymi. To, że wysłuchiwałam ich w znacznej mierze ponurych opowieści, nie oznacza, że chciałam dzielić się swoją. Nic się w tym względzie nie zmieniło. Byli dla mnie obcy.

Wszyscy się na mnie gapili. Roxie, June, Ahmed, Sally/Shelly, facet na wózku inwalidzkim, pani z pieprzykiem nad prawą brwią i kobieta, która zawsze przychodziła w stroju ochroniarza.

Spojrzałam na Roxie.

— Naprawdę nie rozumiem, w czym to pomoże...

— Lucy — powiedziała Roxie, zachęcając mnie spojrzeniem — zaufaj mi.

Naprawdę nie chciałam tego robić, ale byłam w potrzasku. Urażona strzeliłam kłykciami, wzięłam głęboki oddech i zaczęłam: „Spotkałam tego faceta w klubie...".

— Nie — przerwała mi bez pardonu Roxie — zacznij od samego początku.

— Od samego początku?

— Tak.

— Dobrze — ustąpiłam. — Ale kiedy będziecie już umierać z nudów, nie mówcie, że was nie ostrzegałam.

Roxie uśmiechnęła się.

— Lucy, nie opóźniaj, po prostu opowiadaj to, co ważne.

„Co ona sobie myśli. Przecież niczego nie opóźniam.

No, może trochę".

Do końca spotkania zostało jeszcze ponad pół godziny, musiałam w końcu zacząć.

— Nic mi się nie układało, byłam w dołku... — zaczęłam. Powiedziałam im o sztuce, o Elyse i Ty, a kiedy doszłam do części z Lisą, niektóre osoby aż wydały z siebie stłumione okrzyki. Obserwując ich reakcje, pomyślałam, że może ja faktycznie nie przesadzałam - może te wszystkie problemy w moim życiu rzeczywiście były poważne.

Zachęcona kontynuowałam moje opowiadanie, czerpiąc energię z pełnych zrozumienia potakiwań i współczujących potrząśnięć głową.

Kiedy opowiedziałam już absolutnie wszystko, powiedziałam: „I to by było na tyle. Tak właśnie tutaj trafiłam".

Ku mojemu zdumieniu grupa nagrodziła mnie brawami. Nie mogłam powstrzymać nieśmiałego uśmiechu. Każdy aktor to uwielbia.

— Dobra robota — powiedziała z uśmiechem Roxie.

Phi. *Podzieliłam* się i nie było to nawet takie straszne. W pewien sposób nawet mi ulżyło. Może Roxie naprawdę wiedziała, co robi na tych spotkaniach?

— A teraz — zwróciła się do grupy — czy ktoś chciałby się odnieść do historii Lucy?

Podniosło się kilka rąk.

Zamarłam. Moment - teraz inni będą rozmawiać o tym, co właśnie im powiedziałam? Myślałam, że chodziło tu tylko o to, żeby się *podzielić*. Dotąd nie analizowaliśmy niczego, co powiedział ktoś inny. To nie było fair!

— Chwila — powiedziałam spanikowana. — Nie czuję potrzeby słuchania żadnych komentarzy. Może pozwolimy komuś innemu opowiedzieć swoją historię?

— Mamy tu sobie nawzajem pomagać, Lucy. Byłaś naprawdę odważna, że podzieliłaś się z nami swoimi doświadczeniami, ale wciąż się miotasz i bardzo się za to winisz. Sądzę, że poznanie innego punktu widzenia bardzo by ci pomogło.

— Ale... — zaprotestowałam słabo.

Roxie zignorowała mnie i zaczęła udzielać głosu innym, by wyrazili swoje opinie o moim życiu. Siedziałam tam przerażona i słuchałam, jak kolejne osoby dorzucały własne zdanie.

— Wiesz, Lucy... Ci twoi przyjaciele, Max i Cassie? — zaczął Ahmed.

— Courtney — mruknęłam.

— Tak. Mnie też coś takiego się przytrafiło, kiedy zacząłem o siebie bardziej dbać. Rzuciłem picie i imprezy, i zacząłem przychodzić na te spotkania. Nagle moi przyjaciele nie chcieli już nimi być. Powiedzieli, że uważam się za lepszego od nich. — Ahmed smutno zwiesił głowę. — Nie widziałem ich już od wielu lat.

Inne osoby też się wtedy włączyły, mówiąc, że przez chorobę również utraciły przyjaciół.

I to miało mi pomóc?

Mówiła teraz kobieta w stroju ochroniarza.

— Uważam, że postąpiłaś bardzo odważnie, kiedy poszłaś się rozmówić z tym gnojkiem — przechyliła się ponad głowami kilku osób z uniesioną dłonią. Przybiłam jej piątkę ze średnim entuzjazmem.

Ludzie nieustannie mówili, nie mając pojęcia o tym, że te komentarze były dla mnie zupełnie bezużyteczne. Nie mieli w ogóle racji. Do mieszkania Lee nie przywiodła mnie odwaga, ale przejściowe szaleństwo. A anonimowi przyjaciele Ahmeda od kieliszka w ogóle nie umywali się do Maxa i Courtney oraz do tego, co nas łączyło i co straciliśmy.

Roxie się myliła. To w ogóle mi nie pomagało. Dowiodło tylko tego, że kiedy już się otworzyłam i opowiedziałam im najbardziej osobiste szczegóły z mojego życia, ci ludzie nadal niczego się o mnie nie dowiedzieli.

I szczerze mówiąc, słyszeć w kółko, że zerwane i porzucone związki międzyludzkie to w społeczności osób z HIV/AIDS częste zjawisko, było jeszcze bardziej przygnębiające.

Do końca spotkania zostało jeszcze tylko kilka minut, a mnie świerzbiło, żeby się stamtąd ulotnić. Żałowałam teraz, że zaufałam Roxie. I pomyśleć, że uważałam ją za swoją przyjaciółkę. Owszem, byłam jej wdzięczna, że załatwiła mi to przesłuchanie, ale to, co dziś zrobiła, wszystko przekreśliło.

Seria komentarzy powoli się kończyła, kiedy June podniosła rękę. Zaklęłam po cichu. Była dotąd jedyną osobą, która nie wykorzystała jeszcze szansy rozłożenia mojego życia na czynniki pierwsze i miałam nadzieję, że tak zostanie.

— Proszę, June — powiedziała Roxie.

„Nie, June, błagam. Zamknij się i pozwól nam wszystkim pójść do domu".

— Chciałabym powiedzieć coś o matce Lucy — zaczęła.

Cudownie. Czekała mnie kolejna tyrada o okropieństwie nieodpowiedzialnego rodzicielstwa i matczynego porzucenia. Tak, wiem – porzucanie swojego dziecka, żeby postrzelać sobie fotki i powciągać prochy jest złe.

— Lucy, zastanawiałam się nad tym, co powiedziała Roxie – że obarczasz się winą za to i uważasz, że zarażenie się HIV było rodzajem kary za twoje czyny. Moim zdaniem w ogóle nie powinnaś się winić.

„Dzięki, June. Bardzo to pomocne".

— Wydaje mi się, że kiedy wokół ciebie wszystko się waliło i paliło, postąpiłaś dokładnie tak, jak miałaś postąpić.

Hmm. To ciekawe. Zaczęłam nasłuchiwać i zdałam sobie sprawę, że mnie zaintrygowała.

— Co masz na myśli? — zapytałam.

— Spójrz na swoją matkę. Urodziła cię i uciekła. Przyjechała do ciebie, kiedy byłaś mała, i kiedy wasze relacje zaczęły się zacieśniać, znowu uciekła. Wolała włóczyć się po świecie z jakimiś muzykami. Powiedziałaś, że mówiła ci, że dokonała kilku aborcji, tak? I teraz znowu jest w ciąży. Zdaje się, że nawet nie wie, kto jest ojcem.

— To prawda — przyznałam zaskoczona — ale co to ma wspólnego ze mną?

— Nie rozumiesz? Ucieczka od trudności, to, co wydarzyło się potem, to zachowanie nabyte. Tego cię nauczono. Nie wiń siebie za to, co zrobiłaś, Lucy. To twoja matka jest za to odpowiedzialna.

Mocne.

Spotkanie wreszcie się skończyło. Roxie podbiegła do mnie niemal natychmiast i zarzuciła mi ramiona na szyję.

— To było świetne, Lucy. Jak się czujesz?

Odepchnęłam ją i odsunęłam się na kilka kroków.

— Nie wiem, muszę to przetrawić. Ale to było bardzo niefajne, Roxie.

Zmarszczyła brwi.

— Co było niefajne?

— Stawianie mnie w takiej sytuacji.

— Ale pomogło. Wiem, że tak! — nalegała.

— Posłuchaj, ja wcale nie chciałam.

— Lucy, starałam się tylko ci pomóc…

Westchnęłam.

— Nie wątpię. Ale nie było mi z tym dobrze, czułam się niezręcznie. Przepraszam cię, ale chcę być już sama. Do czwartku.

Zostawiłam Roxie kompletnie zszokowaną. Była tak zaskoczona moją reakcją, że nie potrafiła wydusić z siebie słowa.

Głośniej niż krzyk

Dopiero kolejnego wieczoru natknęłam się na Lisę. Właśnie wróciłam z próby i zobaczyłam, jak zawzięcie buszuje w lodówce, wypiąwszy przy tym swój coraz szerszy tyłek.

Chyba nie usłyszała, kiedy weszłam. W pierwszej chwili chciałam przemknąć obok i niezauważona zaszyć się w swoim pokoju. Zmieniłam jednak zdanie – zasiadłam przy kuchennym stole na krześle i uważnie obserwowałam ten egzotyczny okaz ciężarnej samicy, która oto poszukuje pożywienia w celu zapewnienia sobie przetrwania.

Nie mogłam przestać myśleć o słowach June. Czy miała rację? Czy mogłam zostać podświadomie zmanipulowana, by powielać zachowania Lisy? Zawsze byłam dumna z mojej niezależności. Mam niesamowitych ojców i wszystko, czego mi trzeba – tu nie chodzi o brak miłości albo poczucie zaniedbania. Moje doświadczenia nawet nie umywają się do tego, przez co przechodziła Roxie.

Ale co, jeśli sam fakt istnienia Lisy już we wczesnym dzieciństwie zaczął rzutować na moją osobowość i ostatecznie odcisnął piętno, które popchnęło mnie w kierunku Lee? To oznaczałoby, że za piekło, w którym się znalazłam, nie odpowiadam tylko i wyłącznie ja. Część tej winy – choćby ta najmniejsza – leży po stronie matki. Może gdybym jej nie znała, nie przyszłoby mi do głowy, żeby pójść do mieszkania Lee. Może gdyby trzymała się ode mnie z daleka, nie musiałabym teraz przez to wszystko przechodzić.

Lisa skończyła wreszcie swoje łowy i nogą zamknęła drzwi od lodówki. Kiedy się odwróciła i zobaczyła mnie na krześle patrzącą na nią spode łba, wydała z siebie krótki okrzyk i upuściła zdobycze na podłogę.

— Jezu, Lucy, wystraszyłaś mnie — powiedziała, kucając, żeby zebrać jedzenie. Nie wstałam, żeby jej pomóc.

— Przepraszam — powiedziałam tonem wskazującym na coś zupełnie przeciwnego.

Spojrzała na mnie dziwnie, ale ani na moment nie przestała robić sobie kanapek. Najwyraźniej sarkazm to było zbyt mało, by oderwać ciężarnego pasożyta od góry darmowego jedzenia.

— Dlaczego wróciłaś? — zapytałam.

Lisa przerwała na ledwie zauważalną chwilę, a następnie wznowiła smarowanie dwóch kromek chleba majonezem.

— Już ci mówiłam — powiedziała.

— Nie chodzi mi o teraz. Dlaczego wróciłaś, kiedy byłam mała?

Dopiero to pytanie sprawiło, że odłożyła jedzenie.

— Chciałam cię zobaczyć.

Jej mina niewiniątka zadziałała na mnie jak płachta na byka.

— Nie kłam! — wrzasnęłam, waląc pięściami w stół. Lisa wstrzymała oddech i szeroko otworzyła oczy.

— Nie kłamię — powiedziała niezbyt przekonująco.

— Myślisz, że nie pamiętam? Kiedy przyjechałaś po raz pierwszy, byłaś na takim głodzie, że nawet nie mogłaś na mnie spojrzeć. Tak nie robi matka, która chce zobaczyć własną córkę! Pojawiłaś się tylko dlatego, że potrzebowałaś pieniędzy i wiedziałaś, że Tata ci je da.

Spojrzała na mnie z wyrzutem.

— A co z kolejnym razem? Wtedy nie prosiłam o pieniądze — powiedziała z oburzeniem.

Obie wiedziałyśmy, że to prawda.

— Za drugim razem było jeszcze gorzej! Kiedy byłaś naćpana, przynajmniej wiedziałam, że nie warto tracić na ciebie czasu.

Ale za drugim razem udawałaś, że ci na mnie zależy! — Po twarzy zaczęły płynąć mi łzy złości, ale ich nie wycierałam. — Nie potrzebowałam cię, Liso. Doskonale sobie bez ciebie radziłam. Więc po co do cholery wróciłaś?

Spuściła wzrok.

— Ponieważ bardzo chciałam cię zobaczyć. Lucy, naprawdę tęskniłam za tobą.

— Ty za mną tęskniłaś — powtórzyłam, nie wierząc jej ani przez moment. — Więc stwierdziłaś, że najlepszą rzeczą dla twojej trzynastoletniej córki, której tak ci brakuje, będzie odstawienie wielkiego pokazu matczynych uczuć, rozbudzenie w niej miłości, a następnie zabranie tego wszystkiego bez żadnego pożegnania? Faktycznie, wykazałaś się matczyną troską.

— Co mam ci powiedzieć? — krzyknęła Lisa. — Jestem pochrzaniona. Tyle mam na swoje usprawiedliwienie.

— Chyba żartujesz? To żadne usprawiedliwienie! Jesteś pochrzaniona, bo chcesz taka być. Nikt ci siłą nie dawał w żyłę, nie kazał ci wciągać ani robić nie wiem czego jeszcze. Nikt cię nie zmuszał, żebyś opuściła swoją rodzinę. To twoja decyzja. Zawsze obchodził cię tylko twój własny tyłek.

Gwałtownie przytrzymała się za brzuch.

— To nieprawda.

— Ależ tak — powiedziałam i zaśmiałam się ponuro. — Akurat to dziecko zachciało ci się urodzić, ponieważ uznałaś, że ono zrobi z ciebie normalną osobę. O ile to w ogóle jest możliwe. Wiesz co? Żal mi tego biednego dziecka. Jeszcze się nie urodziło, a już ma przed sobą niewykonalne zadanie. — Pokręciłam głową i mówiłam dalej. — Czy ty w ogóle wiesz, jak bardzo udało ci się spieprzyć moje życie? Miałam spokój, nie potrzebowałam cię, moi ojcowie dają mi wystarczająco dużo miłości. Ale ty tego oczywiście nie szanujesz, pojawiasz się, kiedy chcesz, i wszystko psujesz, jesteś jak trucizna. Biedny ten maluch, z taką matką nigdy nie będzie szczęśliwy.

~

Wybiegłam z kuchni. Zatrzasnęłam za sobą drzwi pokoju i włączyłam głośno muzykę. Nienawidziłam jej. Nie obchodziło mnie już jej dziecko – chciałam tylko, żeby ta kobieta raz na zawsze wyniosła się z mojego domu i z mojego życia.

Leżałam na łóżku. Wciąż się we mnie gotowało. Przez dłuższy czas pustym wzrokiem gapiłam się na sufit.

Ale kiedy wysłuchałam już całego albumu *Wicked*, musicalowej wersji *Legalnej blondynki* i połowy oryginalnego albumu musicalu *Ragtime*, z dołu dobiegł mnie hałas. Szybko ściszyłam dźwięk i nasłuchiwałam. Na tle nerwowej bieganiny usłyszałam okrzyki moich zazwyczaj cichych ojców. Nie mogłam jednak rozróżnić słów. Słyszałam także Lisę, ale ona nie krzyczała, raczej jęczała. Z bólu? Z rozpaczy? Próbowałam coś z tego wyłowić, ale wszystko się zlewało. „Co tam się dzieje?"

Zniecierpliwiona zbiegłam na dół i wydałam z siebie krótki okrzyk przerażenia.

Na podłodze w pokoju gościnnym siedziała skulona Lisa. Obejmowała rękoma brzuch i krzyczała z bólu. Jej nogi pokryte były krwią, która powoli zaczęła wsiąkać w dywan. Chodząc nerwowo po pokoju, Papa rozmawiał przez telefon i z paniką wymalowaną na twarzy wyjaśniał dyspozytorowi pogotowia, jak do nas dojechać. Tata klęczał obok Lisy, na próżno starając się uspokoić ją na tyle, by mu powiedziała, co się stało.

Stałam bez ruchu.

„Czy to przeze mnie?

Czy mój atak na Lisę zagroził jej ciąży?

Dlaczego ja pomyślałam, że nie zależy mi na tym dziecku. Przecież to nieprawda".

— Ja naprawdę nie chciałam tego! — wykrzyknęłam szczerze zrozpaczona. — Przepraszam!

I nagle poczułam, że znalazłam się poza własnym ciałem. Obserwowałam wszystko jakby przez mgłę, jakby wokół mnie rozgrywał się niemy film. Stałam wprawdzie na podłodze, ale mój duch oderwał się i unosił nad pokojem.

Tata odłożył słuchawkę i coś do mnie powiedział. Ale powiedział to do mojego ciała. Mój duch tego nie słyszał. Tata potrząsnął mną, bezskutecznie próbując wywołać we mnie jakąkolwiek reakcję. Następnie wybiegł z pokoju, żeby otworzyć drzwi wejściowe. Przyjechał pewnie ambulans.

Po krótkiej chwili wbiegło dwóch ratowników, odsuwając po drodze moje puste ciało. Jeden zajął się Lisą – zmierzył jej tętno i osłuchał brzuch stetoskopem. Drugi zaczął rozmawiać z Tatą i Papą, starając się dowiedzieć czegoś więcej. Ojcowie coś odpowiadali, mocno przy tym gestykulując. Ale dla mnie wszystko nadal było spowite idealną ciszą. Mężczyźni przenieśli Lisę na nosze i wynieśli ją. Tata i Papa poszli tuż za nimi. Ich ubrania umazane były krwią Lisy.

Zostałam sama w domu.

Wówczas mój wzrok napotkał coś, co natychmiast sprowadziło mnie na ziemię. Oderwałam stopy od ziemi i rzuciłam się do nocnego stolika Lisy, który ojcowie musieli przeoczyć w całym tym zamieszaniu.

Na samym wierzchu leżała otwarta, prawie opróżniona, torebka kokainy.

Może tym razem

Z powodu intensywnych opadów śniegu w czwartek i piątek odwołali nam lekcje. Tym samym wypadły nam też próby. Nie była to najlepsza pora – premiera zaplanowana była na następny tydzień. Z drugiej strony miałam przynajmniej okazję, żeby porządnie odespać bezsenne noce po incydencie z Lisą.

Siedziałam zupełnie sama w domu. Lisa została jeszcze w szpitalu, a Tata i Papa musieli pojechać do pracy.

Był piątek, ciche popołudnie. Jadłam właśnie zupę i przez panoramiczne okno w salonie obserwowałam padający śnieg. Wszystko było takie spokojne i piękne. Trudno było uwierzyć, że to był ten sam świat, na którym tyle osób ponosiło bezsensowną śmierć, gdzie ciężarne kobiety świadomie ryzykowały życie swoich nienarodzonych dzieci, a miłość przegrywała z nienawiścią.

Zapatrzona na pokryty białym puchem trawnik przy wejściu przeniosłam się myślami do czasów, kiedy wszystko było o wiele prostsze. Ubrani w zimowe kombinezony, czapki i śniegowce razem z Courtney i Maxem lepiliśmy bałwana przed domem. Ozdobiliśmy go pierzastym boa, a na głowę natknęliśmy kartonową czapeczkę urodzinową. Z orzechów włoskich zrobiliśmy mu oczy i nos, a z cukierków lukrecjowych uformowaliśmy usta. Nazwaliśmy go Jonathan. Courtney stwierdziła, że to książę i powinniśmy ulepić dla niego księżniczkę, żeby mogli się pobrać. Ale Max i ja mieliśmy lepszy pomysł… Ulepiliśmy kolejnego bałwana, założyliśmy mu pasek i plecak, i nazwaliśmy go Andrew. Kiedy skończyliśmy, odsunęliśmy się kilka kroków, żeby obejrzeć nasze dzieło: pierwsza para gejów-bałwanów w Eleanor Falls. Następnie rzuciliśmy się w śnieg i zaczęliśmy tarzać ze śmiechu.

Ale teraz, otoczona świetlistą poświatą białego puchu, czułam się samotna jak nigdy dotąd.

Właśnie siadałam na kanapie przed telewizorem, kiedy usłyszałam charakterystyczny chrzęst śniegu na podjeździe. Zatrzymał się tam jakiś samochód.

Kto to mógł być? Wiedziałam, że to nie może być ani Tata, ani Papa, a po moim spięciu z Roxie na ostatnim spotkaniu liczba moich przyjaciół wynosiła... zero.

Otworzyłam drzwi wejściowe i drżąc z zimna, próbowałam coś dostrzec przez padający gęsto śnieg.

Znałam ten samochód. To był Ty.

Z trudem szedł po pokrytej grubą warstwą śniegu ścieżce i szeroko się uśmiechał.

— Cześć, Lu — powiedział.

— Co ty tu robisz?

Uniósł papierową torbę.

— Przywiozłem ci gorącą czekoladę.

Muszę przyznać, że na jego widok serce zabiło mi mocniej. Niezależnie od tego, co wydarzyło się w przeszłości, Ty był w moim domu mile widzianym gościem, choć wciąż nie opuszczały mnie wątpliwości.

— Dlaczego? — zapytałam.

— Ponieważ mamy dziś piękny biały dzień, a takie dni zawsze spędzaliśmy razem.

— No i?

— Wiele o tobie ostatnio myślałem.

— No i?

— No i naprawdę mi ciebie brakuje.

Wciąż nie do końca przekonana przyjrzałam się jego twarzy. W jego oczach ujrzałam szczerość i autentyczność. Tęsknił za mną? Szerzej otworzyłam drzwi i Ty wszedł do środka.

~

Kiedy jeszcze byliśmy razem, zwykliśmy zwijać się na kanapie pod kocem, splatając nasze ramiona i nogi w jedno. Teraz siedzieliśmy na tyle daleko od siebie, by poczuć niezręczność i nienaturalność sytuacji. Sprawdzałam kanały filmowe, szukając czegoś interesującego i odczuwałam rosnące napięcie.

— Co chciałbyś obejrzeć?

— Właściwie to nie mam ochoty na telewizję — odpowiedział.

Spojrzałam na niego.

— A na co masz ochotę...

Urwałam. Ty gapił się na mnie z uśmiechem przyklejonym do twarzy.

Jak zahipnotyzowana wyłączyłam telewizor i powoli przysunęłam się do niego. Położył dłoń na moim policzku i czule przytknął swoje usta do moich. Pod skórą poczułam palące ciepło. Miałam wrażenie, jakby przeszedł mnie prąd.

Pocałunek robił się coraz bardziej namiętny, ale po chwili odsunęłam się od Ty'a.

— Czekaj. A co z Elyse?

Potrząsnął głową.

— Nie układa się nam. Popełniłem błąd.

Poczułam ulgę i ponownie go pocałowałam, tym razem jeszcze bardziej namiętnie. Po chwili położyliśmy się na kanapie.

Kiedy tak się całowaliśmy, błądząc dłońmi po naszych ciałach, targały mną sprzeczne emocje.

Rozsądek bił na alarm i atakował mnie jaskrawoczerwonym zakazem: „Nie rób tego!".

Powinnam była przypomnieć sobie, jak podle Ty mnie potraktował. Powinnam zastanowić się, czy w ogóle coś jeszcze do niego czułam. Powinnam pomyśleć o moich uczuciach w stosunku do Evana.

A przede wszystkim powinnam mu powiedzieć o HIV, nim przystąpimy do dalszej części. Należało tak postąpić.

Jednak w starciu z nieracjonalną sferą uczuć rozsądek poniósł sromotną klęskę.

Roxie powiedziała, że z prezerwatywą nie ma właściwie szans na to, żebym zaraziła partnera. Na pewno wiedziała, co mówi - przecież od dziewiętnastu lat żyje już z HIV. Skoro ona może uprawiać seks, to z jakiej racji ja mam sobie go odmawiać? Chrzanić to!

Nie chciałam już dłużej być sama. Oto zjawia się chłopak, który tyle dla mnie znaczy, i mówi mi, że chce ze mną być. Nie miałam zamiaru go odrzucać. Potrzebowałam go.

~

Kiedy skończyliśmy, jeszcze przez chwilę leżeliśmy nago przytuleni do siebie pod kocem. Ty gładził mnie po włosach.

— Tęskniłam za tobą — wyszeptałam.

— Ja za tobą też — powiedział. Nastała dłuższa, pełna spokoju cisza. — Jestem z ciebie taki dumny z powodu tej reklamy. To naprawdę niesamowite.

Uśmiechnęłam się.

— Dzięki.

— Będzie w całych Stanach, tak?

— Tak.

— Myślisz, że jest jakaś szansa, żeby dla mnie też znaleźli jakąś rolę? — zapytał.

Podniosłam głowę i spojrzałam na niego.

— W reklamie?

— Tak.

— Hmm... Nie sądzę, żeby przewidywali jeszcze inne role. Raczej zagram sama.

— Aha. Tak tylko pomyślałem — na jego twarzy pojawiło się rozczarowanie, ale zniknęło tak szybko, że uznałam to za złudzenie. Położyłam głowę z powrotem na jego piersi.

— Założę się, że potem będziesz mogła podpisać umowę z większą agencją — powiedział.

Wzruszyłam ramionami.

— Nie wiem. Może…

— Na pewno. A wtedy mogłabyś mnie polecić i reprezentowałaby nas ta sama agencja. Pomyśl, jak świetnie by było! Mieszkalibyśmy gdzieś w centrum, razem. Chodzilibyśmy na przesłuchania. Tak, jak sobie kiedyś marzyliśmy. Kto wie, może przenieślibyśmy się nawet do Los Angeles!

Teraz to ja się skrzywiłam. Marzyliśmy o zamieszkaniu razem, kiedy już skończę szkołę, ale teraz nie chciałam o tym rozmawiać. Usiadłam i zaczęłam się ubierać.

— Jesteś głodny? — zapytałam, zmieniając temat.

Ty szybko włożył koszulę i spodnie.

— Nie, dzięki. — Spojrzał na zegarek. — Właściwie powinienem się już zbierać, zanim twoi ojcowie wrócą z pracy.

Poczułam, jak w gardle rośnie mi gula. Ojcowie nigdy nie mieli nic przeciwko, kiedy Ty zostawał dłużej, i on doskonale o tym wiedział.

— Jasne — powiedziałam, siląc się na obojętność.

Dał mi buziaka i poszedł do drzwi.

— To było niesamowite — powiedział, odwracając się na moment. — Białe dni są cudowne — uśmiechnął się.

— Tak. Absolutnie cudowne — przytaknęłam.

Ty wyszedł, znikając w zamieci.

Cienka granica

Znów byłam sama. Zaczynałam się już nawet powoli do tego przyzwyczajać.

Przypomniała mi się piosenka, która pasowała do mojej sytuacji, powinnam się chyba nauczyć ją grać - ostatnio samotność to mój temat przewodni.

Ty nie odezwał się przez cały weekend.

I mimo że działo się tyle innych rzeczy - w istocie o wiele ważniejszych - wszystkie moje myśli krążyły wokół niego.

W sobotę wieczorem zaczęłam leczenie. Tabletkę musiałam brać na czczo. Doktor Vandoren wyjaśniła, że lek może wywołać mdłości, dlatego najlepiej zażywać go na noc. Więc począwszy od teraz, pewnie do końca życia, ostatni posiłek będę mogła zjeść nie później niż o ósmej wieczorem, żeby o dziesiątej móc wziąć tabletkę.

Nie myślałam już o efektach ubocznych. Byłam w stanie koncentrować się jedynie na Ty'u. Czy zauważy, jeśli nie będę czuła się najlepiej? Może nie powinnam trzymać opakowania leku na wierzchu? Tak na wszelki wypadek, żeby go nie zauważył, kiedy następnym razem pojawi się w moim pokoju...

Połknęłam tabletkę i na chwilę wszystko zamarło.

Ojcowie patrzyli na mnie jak urzeczeni. Jakbyśmy wszyscy spodziewali się cudu, jakby ta jedna mała tabletka miała sprawić, że będę zdrowa, wolna od śmierci. Albo bardziej chora. Ale nic się nie zmieniło.

Przez chwilę panowała cisza. Papa odezwał się pierwszy.

— No dobrze — powiedział, klasnąwszy w dłonie. — Kto ma ochotę na film?

— Pójdę już spać. Kocham was — odrzekłam.

— My ciebie też, skarbie — Tata i Papa odpowiedzieli prawie jednocześnie.

Zanim się położyłam, jeszcze raz sprawdziłam telefon. Według Einsteina „szaleństwo" to powtarzanie wciąż tej samej czynności i oczekiwanie innego wyniku za każdym razem. Tak, zdaję sobie z tego sprawę.

~

Lisa wróciła ze szpitala w niedzielę. Cały ten dzień przesiedziałam zamknięta w swoim pokoju, unikając kontaktu z innymi domownikami i gapiąc się w komputer. Miałam nadzieję, że Ty zaloguje się na Facebooku i będę mogła z nim pogadać. Ale nie zrobił tego. Wieczorem nie wytrzymałam i zadzwoniłam. Włączyła się poczta głosowa. Nie zostawiłam wiadomości.

Byłam kompletnie wypompowana. Przez ostatnie dwa dni mnóstwo energii poświęciłam na myślenie o Ty'u i teraz zupełnie opadłam z sił. A może lek tak mocno zadziałał? Wiedziałam tylko, że jestem wyczerpana - zarówno psychicznie, jak i fizycznie.

Położyłam głowę na biurku i pozwoliłam rozwinąć się myśli, której do tej pory bardzo starałam się do siebie nie dopuszczać. Czy to możliwe, żeby Ty chciał zwyczajnie mnie wykorzystać? Czy pojawił się tylko dlatego, bo liczył na moją pomoc? Wiele wskazywało na to, że tak. Przecież wrócił dopiero wtedy, kiedy dostałam rolę w reklamie.

Próbowałam jednak przeciwstawić się tej argumentacji - Ty wydawał się tak szczery, kiedy mówił, że za mną tęskni. Zachowywał się tak samo jak wtedy, gdy jeszcze byliśmy razem. Wiedziałam, że był świetnym aktorem, ale nie dopuszczałam do siebie myśli, że mógłby mnie oszukać. A może, przyszło mi do głowy, cały nasz związek był jedną wielką fikcją? Czy na pewno mogłam wierzyć jego słowom?

Może jedyne, na czym mu zależało, to zdobyć najlepszą aktorkę w szkole? Być może Elyse i ja byłyśmy dla niego wyłącznie zdobyczami, którymi można się chwalić przed znajomymi.

Odrzuciłam jednak tę myśl. Ten czas, kiedy byliśmy razem, był prawdziwy. Po prostu musiał.

~

Jednak poniedziałkowe popołudnie wiele wyjaśniło.

Z powodu ciągłej walki ze skutkami śnieżyc mieliśmy dwugodzinne opóźnienie, także próba zaczęła się później niż zwykle. Spotkaliśmy się dopiero późnym popołudniem, na próbie kostiumowej.

Siedziałam na brzegu sceny, sznurując swoje buty sceniczne, kiedy weszli Ty i Elyse. Razem. Ku mojemu zaskoczeniu trzymali się za ręce.

Gdy to ujrzałam, prawie spadłam do kanału orkiestrowego.

— Co do diabła? — krzyknęłam, kompletnie tracąc kontrolę nad emocjami.

Wszyscy zastygli, patrząc na mnie z zaciekawieniem. Zapewne w ich mniemaniu zapowiadała się ciekawa scena zazdrości.

Ty natychmiast puścił dłoń Elyse. Zobaczyłam, że zerka w kierunku wyjścia, jakby chciał uciec. Nie zamierzałam mu na to pozwolić. Zeskoczyłam ze sceny i natychmiast podążyłam w jego stronę. W ciągu tych kilku sekund wszystko stało się jasne. W chwili gdy stanęłam z nim twarzą w twarz, nie miałam już żadnych wątpliwości, że moje podejrzenia były słuszne.

— Musimy pogadać — powiedziałam tonem nieznoszącym sprzeciwu. — Może byłbyś łaskaw jakoś mi to wytłumaczyć? — zapytałam, kiedy zostaliśmy we troje.

Ty nerwowo rozglądał się na boki. Zachowywał się jak tchórz. Nie miał nawet odwagi spojrzeć mi w oczy.

— Nie mam pojęcia, o co ci chodzi. —Ty wciąż chyba miał nadzieję, że odpuszczę.

— Oczywiście, że masz. — Skinęłam głową w kierunku Elyse. — Ona zapewne jeszcze nie wie?

Zaniepokojona Elyse przenosiła wzrok raz na mnie, raz na Ty'a.

— A co niby powinnam wiedzieć?

Starałam się uspokoić oddech.

— Cóż, sądziłam, że nie jesteście już razem...

— Ja... zmieniłem zdanie — powiedział.

— Rozumiem. — Nieznacznie skinęłam głową i mówiłam dalej ironicznie. Nie miałam już żadnych wątpliwości. — Zapewne dlatego, że nie wyraziłam chęci pomocy w załatwieniu wymarzonej pracy...

Ty nadal nic nie mówił. Czekałam, aż przyzna się do winy, ale nic takiego nie nastąpiło.

— Dość tego. Powiedzcie wreszcie, co się tu dzieje? — krzyknęła Elyse. Chyba miała już dość tej niepewności.

Spojrzałam na Ty'a, oczekując jakiejś reakcji. Cisza.

— Ty powiesz czy ja mam to zrobić?

Stał ze spuszczoną głową i przyglądał się uważnie swoim butom. Na co liczył? Czy sądził, że może bezkarnie kłamać? Że jego oszustwo nie wyjdzie na jaw?

Westchnęłam poirytowana i zwróciłam się do Elyse.

— Nie lubię cię, ale uważam, że powinnaś znać prawdę. W piątek Ty przyszedł do mnie i kochaliśmy się...

Elyse zdrętwiała. Jej oddech mocno przyspieszył, a twarz pokryły czerwone plamy.

— Twierdził, że nie jesteście już razem — rzuciłam triumfująco.

W tym momencie przypomniałam sobie jego słowa. Ty nie powiedział przecież, że zerwali ze sobą. Powiedział tylko, że im się „nie układa". To ja zinterpretowałam jego wypowiedź tak, jak chciałam ją zrozumieć. Czy aby na pewno byłam bez winy? Poczułam jednocześnie wyrzuty sumienia i rozczarowanie własną naiwnością. Oszukiwałam samą siebie, naiwnie wierząc w uczciwość Ty'a.

Na twarzy Elyse wciąż widniały czerwone place. Patrzyła na nas z niedowierzaniem.

— To prawda? — wyszeptała tylko.

Ty wzruszył ramionami. Nie stać go było na nic więcej. Czułam rosnącą pogardę.

— Nie wiem, może...

— Przecież cały weekend spędziliśmy razem. Jak... jak mogłeś zrobić coś takiego?

A zatem wychodząc ode mnie, poszedł prosto do niej. Cóż, znowu dałam mu się oszukać.

To może trochę dziwne, ale zrobiło mi się szczerze żal Elyse. Teraz była zupełnie blada, na czoło wystąpiły krople potu, a jej dolna warga drżała, kiedy czekała, aż Ty coś odpowie. Wydawała się kompletnie zdruzgotana tym, co usłyszała. Wcale mnie to nie zdziwiło.

— Elyse — zaczęłam nie bez pewnej satysfakcji — w gruncie rzeczy jesteś w znacznie lepszej sytuacji, niż ja byłam, przynajmniej dowiedziałaś się wcześniej, z kim naprawdę masz do czynienia. Bawił się nami obiema. Ty jednak masz szansę zakończyć ten związek, nim zostawi cię dla kogoś innego. Pomyśl, co ja czuję. Ty okręcił mnie wokół palca na prawie dwa lata. I prawdopodobnie przez cały ten czas oszukiwał...

Zawstydzona własną naiwnością potrząsnęłam głową z niedowierzaniem. Kochałam go tak bardzo, że gdy pojawił się kilka dni temu w progu moich drzwi, bez chwili wahania zaufałam mu ponownie. Gdyby Ty nie złamał mi serca, być może nie doszłoby do wielu złych rzeczy, które wydarzyły się w moim życiu, być może nie byłabym teraz nosicielką tego cholernego wirusa...

— Uwierz mi - mówiłam dalej do Elyse — nawet nie wiesz, ile masz szczęścia...

Już miałam nawet pocieszająco położyć rękę na jej ramieniu, kiedy na końcu korytarza rozległ się hałas. Gdy ujrzałam sprawcę, zamarłam. To był Evan! Cały blady pospiesznie zbierał do torby miecze z rekwizytorni.

— Przepraszam — wybąkał.

— Evan… ja… — Nie wiedziałam, co mam powiedzieć. Czy był świadkiem całej naszej rozmowy?

Ale zanim udało mi się cokolwiek wyjaśnić, Evan odwrócił się i pobiegł w kierunku, z którego przyszedł. Przez chwilę stałam tam nieruchomo, próbując zrozumieć jakoś tę sytuację.

Evan z pewnością słyszał, jak mówiłam, że uprawiałam seks z Ty'em. Był jedyną osobą w szkole, która wiedziała, że mam HIV. Był tak przerażony, że bał się nawet do mnie podejść. A teraz - według niego - zaraziłam Ty'a.

Odwróciłam się do Elyse i Ty'a.

— Resztę już sobie sami wyjaśnicie. Ja muszę iść.

Musiałam znaleźć Evana, zanim komukolwiek o tym powie.

Miecz Damoklesa

Znalazłam go za kulisami. Był zajęty wykładaniem mieczy na stół z rekwizytami.

— Evan? — powiedziałam cicho.

Wzdrygnął się na dźwięk mojego głosu.

— Nie chcę o tym rozmawiać, Lucy — odpowiedział, nie odwracając nawet głowy w moją stronę.

— Pozwól mi tylko wyjaśnić. To nie tak, jak myślisz — błagałam.

Jego dłonie zamarły.

— Nie uprawialiście seksu?

— Nie o to mi chodzi. Ja tylko...

Spojrzał na mnie przenikliwie.

— Więc jest tak, jak myślę. Już ci mówiłem. Nie chcę o tym rozmawiać. — Wyminął mnie gwałtownie i odszedł szybkim krokiem.

Ogarnęła mnie panika. Evan zapewne był przerażony tym, co usłyszał. Nie pozwolił mi dojść do słowa i wyjaśnić, że zabezpieczyliśmy się z Ty'em i nie ma powodu do niepokoju. Za każdym razem kiedy próbowałam wrócić do tej rozmowy albo nie byliśmy zupełnie sami, albo on udawał, że jest strasznie czymś zajęty.

Zanim się obejrzałam, przyszła pora na nasz pojedynek.

Porozciągałam się chwilę, poprawiłam gorset i weszłam na scenę. Ale szybko cała moja uwaga skupiła się na kwestii wypowiadanej przez Evana.

Nigdy nie widziałam go grającego w ten sposób. To było takie… intensywne, mocne.

— *Romeo* — wycedził do Ty'a z żądzą mordu w oczach — *nienawiść moja do ciebie nie może się zdobyć na lepszy wyraz jak ten: jesteś podły.*

— *Tybalcie* — odpowiedział niepewnie Ty, najwyraźniej tak samo zdziwiony furią Evana jak ja — *powód do kochania ciebie, jaki mam, tłumi gniew słusznie wzbudzony taką przemową. Nie jestem ja podły. Bądź więc zdrów. Widzę, że mię nie znasz.*

— *Smyku. Nie zatrzesz takim tłumaczeniem obelg mi uczynionych* — odparł z mocą Evan. — *Stań więc i wyjm szpadę.*

Co tu się dzieje? Najwyraźniej Evan wykorzystywał swoją kwestię, żeby wyrazić żal wobec Ty'a. Ale to nie miało sensu. To na mnie przecież był zły, a nie na Ty'a. W jego pojęciu Ty był ofiarą, a nie sprawcą.

Rozpoczęła się nasza scena walki. Natychmiast wyczułam różnicę. Powinniśmy byli cały czas ćwiczyć w kostiumach, jeśli to dzięki nim Evan pozbył się swoich niewidzialnych pęt. Przestał się wahać. W chwili kiedy skrzyżowaliśmy miecze, złapaliśmy wspólny rytm. Mierząc się wzrokiem, pojedynkowaliśmy się i przewracaliśmy na scenie - to było niemalże jak oczyszczenie, jakbyśmy się w końcu uwalniali od wszystkiego, co nam dotąd ciążyło. Nasze wewnętrzne bolączki przemówiły w starciu naszych bohaterów.

Pojedynek był dokładnie taki, jaki powinien być - płynny, gniewny i piękny.

To może dziwne, wziąwszy pod uwagę gwałtowność tej chwili, ale kiedy tak walczyliśmy, czułam, że świdrujące spojrzenie Evana wyzwala w moich członkach coraz bardziej intensywne ciepło. Ja nie potrafiłam tego zrozumieć, ale moje ciało zdawało się wiedzieć, że cokolwiek się teraz dzieje, jest dobre.

Ale właśnie wtedy zakręciło mi się w głowie i się zachwiałam. Wszystko się nagle rozmazało. Od razu się domyśliłam, że to efekt uboczny przyjmowania leków. Niestety, nie mogłam nic na to poradzić. W teatrze obowiązuje niepisana zasada, że próbę kostiumową przerywasz tylko wtedy, kiedy absolutnie nie masz innego wyjścia. Potykałam się więc i z wysiłkiem starałam zachować równowagę. Nie potrafiłam skupić wzroku na Evanie, ale robiłam wszystko, żeby trzymać się choreografii. Ty rozpoczął już następną kwestię, błagając nasze postaci, aby zaprzestały walki. Wszystko, co musiałam teraz zrobić, to udać, że pozwalam się ugodzić, a następnie zgodnie z planem runąć na scenę i poczekać, aż miną zawroty głowy.

Zakończenie pojedynku było proste: miałam stanąć bokiem, żeby Evan mógł dźgnąć pustą przestrzeń obok mnie, co z widowni wyglądałoby jak prawdziwe ugodzenie. Nic trudnego.

Ale ponownie się zachwiałam. Na umówiony znak Evan natarł na mnie mieczem, ale nasze ruchy nie były już zsynchronizowane – zamiast przeszyć powietrze, Evan rozciął moje ramię.

Wszyscy na scenie zamarli. Nie czułam rany, mimo iż doskonale wiedziałam, że tam jest. Poczułam tylko, że moje nogi są jak z waty i z impetem rąbnęłam na drewnianą podłogę sceny. Ludzie zaczęli panikować, krzyczeć i biegać w różnych kierunkach.

Dopiero po chwili zawroty głowy ustały i mogłam zerknąć na ranę. To było rozcięcie zaczynające się tuż nad łokciem i kończące tuż pod ramieniem. Wszędzie naokoło widziałam krew, która jaskrawoczerwonymi wstęgami płynęła z mojej ręki.

Rozejrzałam się po sali. Zdaje się, że narobiłam niezłego zamieszania. Elyse chyba zemdlała, bo Ty klęczał nad nią i zdawał się ją cucić. Z kolei Andre stał, jakby wrósł w ziemię między mną a Elyse, nie wiedząc, komu powinien najpierw pomóc. Ale to na Evanie skupiła się cała moja uwaga. Przeskoczył Elyse i odepchnął pospiesznie Maxa i Courtney.

Rzucił się w moją stronę, odchylił i stanął, osłaniając mnie od innych, a następnie wyciągnął z paska szarfę, którą mocno opatrzył moje ramię.

— Dzwonię po karetkę — krzyknął Max.

— Nie! — zdecydowanie powstrzymał go Evan, unosząc przy tym dłoń. — Nigdzie nie dzwoń!

Przerażona patrzyłam na dłonie Evana. Pokryte były krwią. Moją krwią!

— Evan — powiedziałam — twoje ręce.

— Ciii — wyszeptał.

— Co ty mówisz? — krzyknął Max, podbiegając do nas. — Dzwonię na pogotowie. Trzeba to zszyć!

— Sam ją zawiozę do szpitala — stwierdził Evan, podnosząc mnie z ziemi. Podszedł do Maxa i Courtney i zaczął mówić ściszonym głosem, tak żeby tylko oni mogli go usłyszeć.

— Nie pozwólcie się nikomu do tego zbliżyć — powiedział, wskazując na kałużę krwi na podłodze. — Sami to posprzątajcie. Użyjcie chloru, koniecznie załóżcie rękawiczki, a kiedy skończycie, wszystko wyrzućcie. Rozumiemy się?

Max i Courtney przytaknęli bez słowa.

Kiedy Evan niósł mnie do wyjścia, mocniej objęłam jego szyję.

— Tak mi przykro, Lucy — wyszeptał.

Pomyśl o mnie

Z gabinetu wyszłam z trzydziestoma dwoma szwami oraz receptą na paracetamol i kodeinę.

— Nadal nie rozumiem, jak to się stało. Nie powinniście mieć tępych mieczy na scenie? — powiedział Tata, kiedy spotkaliśmy się w poczekalni z Andre i Evanem.

Papa został w domu, żeby siedzieć z Lisą. Sumiennie wywiązywał się ze swojej obietnicy, żeby przez kolejne trzy miesiące ani na moment nie zostawiać jej samej. Lisa dostawała szału, bo Papa zatrudnił nawet osobę, żeby siedziała z nią w ciągu dnia i kontrolowała każdy jej krok.

— Oczywiście, że tak — powiedział Andre, rzucając mi i Evanowi wściekłe spojrzenia. — Gdybym tylko wiedział, że Lucy i Evan nie przestrzegają zasad, z pewnością bym do tego nie dopuścił.

— Przepraszam — powiedziałam, usiłując ich udobruchać, żebyśmy nie musieli już o tym więcej mówić. — Prawda, że nam przykro, Evan?

Tylko przytaknął. Gapił się na moje zabandażowane ramię.

— Co powiedzieli lekarze? Będziesz mogła grać? — Andre był kłębkiem nerwów.

Zrobiło mi się go żal - w momencie kiedy pojedynek wreszcie zaczął nam wychodzić, przytrafiło się coś takiego.

— Może to jakaś klątwa — powiedziałam, szczerząc zęby, jakby to, co mówię, było śmieszne. Najwyraźniej to środki przeciwbólowe wprawiły mnie w tak wesołkowaty nastrój. — Pomyślcie tylko, co by było, gdybyśmy grali *Makbeta*.

— Lucy, błagam, nie mów o klątwach teatralnych. Chcesz przynieść nam pecha? — Zadrżał Andre. — Będziesz mogła grać czy nie? — powtórzył pytanie.

— Tak, Andre. Oczywiście, że tak.

— Bogu dzięki — powiedział z ulgą i uściskał mnie, starając się nie urazić mojego ramienia.

— Dobra, wracamy do domu. Mam już dość szpitali — powiedział Tata, prowadząc nas ku wyjściu.

— Ja chyba wrócę do domu z Evanem. Jeśli on nie ma nic przeciw temu — dodałam.

— Jasne, to żaden problem. — Evan zgodził się po chwili krótkiego wahania. Dalsze unikanie mnie nie miało już sensu, oboje dobrze o tym wiedzieliśmy.

Tata mocno mnie przytulił.

— Oczywiście — powiedział. — Do zobaczenia w domu.

~

— Dobrze się czujesz? — zapytał Evan, gdy zostaliśmy sami.

Przytaknęłam.

— Nic mi nie będzie. Zostanie pewnie paskudna blizna, ale poza tym, wszystko jest w porządku. Nawet specjalnie nie boli.

— Tak mi przykro. Nie mogę uwierzyć, że to zrobiłem. Nie wiem, co się stało.

— To nie twoja wina, Evan. Naprawdę. Nie miej wyrzutów.

— Lucy, to ja trzymałem miecz. Nie wiem, kogo tu jeszcze można by winić.

Uśmiechnęłam się.

— W każdym razie wszystko mi zrekompensowałeś. Dziękuję, że zawiozłeś mnie do szpitala.

— Pomyślałem po prostu, że jeśli przyjechałaby karetka, musiałabyś im powiedzieć, że masz HIV, a wiem, że nie chcesz, żeby ktokolwiek się dowiedział — powiedział cicho Evan, nie patrząc mi w oczy.

Miał rację. Kiedy znalazłam się w pokoju zabiegowym, już na samym wstępnie zapytano mnie, czy jestem uczulona na jakieś leki i czy na coś choruję. Zdenerwowana powiedziałam im, że mam HIV, ale nie zauważyłam żadnej reakcji z ich strony, zachowali się w pełni profesjonalnie. Gdybym musiała powiedzieć to otoczona dalszymi i bliższymi znajomymi z koła teatralnego, nie wiem, jak bym się zachowała. Evan mnie uratował.

Uważnie mu się przyjrzałam. Chyba mówił szczerze. A w dodatku sam naraził się na niebezpieczeństwo, żeby tylko nie zdradzić mojej tajemnicy. Pomyśleć, że zaledwie kilka godzin temu martwiłam się, że mógłby komuś powiedzieć o mojej chorobie...

— Nie powinieneś dotykać mojej krwi — wyszeptałam.

Już na samą myśl, że mógłby się zarazić, czułam przeraźliwy ucisk w żołądku.

— Wiem. Ale nie zastanawiałem się nad tym. Chciałem tylko ci pomóc. Nic innego się nie liczyło — przyznał.

— Masz jakieś rany na dłoniach? — „Powiedz, że nie — dodałam w myślach".

Evan pokazał mi ręce, przy okazji uważnie się im przyglądając.

— Nie, żadnych zadrapań, ranek, nic.

Odetchnęłam z ulgą.

— To dobrze. Ale może... myślę, że mimo wszystko za jakiś miesiąc powinieneś zrobić test. Tak na wszelki wypadek. — Nie było mi łatwo wypowiedzieć te słowa. Nie darowałabym sobie, gdyby przeze mnie Evanowi coś się stało.

— Jasne — odpowiedział.

Siedzieliśmy tam, pozwalając powadze sytuacji wypełnić każdy centymetr zamkniętej przestrzeni. Dlaczego najważniejsze z naszych rozmów zawsze musiały się odbywać w samochodzie?

— Myślę, że Max i Courtney podejrzewają, że coś jest nie tak — powiedział, przerywając wreszcie ciszę. — Naprawdę mi przykro… Wiem, że nie chcesz, żeby się dowiedzieli. Ale zawsze lepiej, żeby wiedzieli oni niż Elyse albo… Ty.

Kiwnęłam głową.

— Dobrze postąpiłeś. Dziękuję ci. — Wtedy uzmysłowiłam sobie, z jakim oporem Evan wspomniał o Ty'u. — A co do tego, co usłyszałeś dziś w korytarzu…

Evan odwrócił wzrok — cóż, to nie moja sprawa.

— Nic się nie stało. Wiem, że jesteś tym przerażony. Ale musisz wiedzieć, że nie naraziłam Ty'a. Byłam naprawdę ostrożna i użyliśmy prezer…

— Lucy, proszę. Daruj sobie szczegóły — przerwał mi.

— Przepraszam. Chcę tylko ci powiedzieć, że nie musisz się o niego martwić.

— Lucy, Ty mnie w ogóle nie obchodzi.

Zamrugałam.

— Ale byłeś taki przybity…

Evan spojrzał mi prosto w oczy.

— Byłem przybity, bo zrobiłaś to z kimś innym. Zdrowie Ty'a interesowało mnie najmniej.

— Czekaj. Co ty mówisz?

Gapiłam się na niego, a serce biło mi coraz mocniej.

— To dlatego byłeś taki wściekły na próbie. — Teraz wszystko zaczęło nabierać sensu.

— Zauważyłaś? — Wyglądał na zmieszanego.

— Chyba wszyscy zauważyli.

— No cóż. Po prostu nie cierpię tego gościa.

— Mnie chyba też już nie lubisz! — krzyknęłam. — Nawet na mnie nie spojrzysz!

— Lucy, ja cię kocham — z zawstydzeniem powiedział Evan. — Ja tylko się… bałem. — Powiedział to tak, jakby sam nie mógł uwierzyć, że się do tego przyznaje.

— Ale już się nie boisz? — szturchnęłam go przekornie.

Westchnął.

— Dosyć dużo czytałem na ten temat... I uważam, że teraz chyba znacznie więcej rozumiem — powiedział, chwytając mnie za dłoń.

Zapatrzyłam się na nasze splecione palce - Evan delikatnie gładził kciukiem wierzch mojej dłoni. Myślami przeniosłam się do ostatniego razu, kiedy próbowałam go dotknąć... do ostatniego razu, kiedy siedzieliśmy razem w zaparkowanym samochodzie. Było to zaledwie miesiąc temu, ale wydawało mi się, że minęły całe wieki. Tyle się od tamtej pory wydarzyło, tyle się zmieniło. Niekoniecznie na gorsze, sądząc po dotyku ciepłej dłoni Evana.

— Zachowałem się w stosunku do ciebie jak ostatni palant. Zrozumiem, jeśli powiesz mi teraz, że nic do mnie nie czujesz. Zrozumiem też, jeśli powiesz, że chcesz znowu być z Ty'em.

— Och, z pewnością nie chcę być z tym człowiekiem!

W oczach Evana dostrzegłam błysk radości.

— Naprawdę?

— Naprawdę. — Ale wtedy moje rozcięte ramię przeszył rozdzierający ból, przypominając mi, że nie wszystko jest takie proste. — Ale nie wiem, Evan... — dodałam już ciszej.

Jego kciuk się zatrzymał.

— Czego nie wiesz?

— Nie wiem, czy w ogóle mamy szansę. To skomplikowane.

— Z powodu HIV?

— Tak. To bardzo poważna sprawa. Już do końca życia będę miała problemy ze zdrowiem i skutkami ubocznymi leków, będę musiała chodzić do lekarzy i na spotkania grupowe. To masa kłopotów. Ale nie ukrywam, że bardzo mnie zraniłeś. Trudno mi o tym zapomnieć. Cieszę się, że poczytałeś o HIV, jednak to nie oznacza, że przestaniesz się bać. To zawsze będzie między nami.

Evan powoli puścił moją dłoń i skinął głową.

— Dobrze, rozumiem. — Zapalił silnik i ruszył w stronę mojego domu.

W głowie miałam mętlik. Bardzo chciałam z nim być. Chciałam go całować i pozwolić mu trzymać mnie w ramionach, być kochaną. Ale bałam się, że zrobię mu krzywdę, że jeśli zdecyduję się z nim być, kiedyś możemy tego żałować.

— Dziękuję — powiedziałam po chwili — za wszystko, co dziś uczyniłeś. Naprawdę, nigdy tego nie zapomnę.

Evan patrzył gdzieś w dal. Nic nie odpowiedział.

Po jakimś czasie stanęliśmy na podjeździe przed moim domem.

— Do zobaczenia jutro — powiedziałam, wysiadając z samochodu. — Dzięki za podwózkę.

— Lucy, poczekaj — zawołał, kiedy już zamykałam drzwi.

Otworzyłam je ponownie i pochyliłam, czekając, aż coś powie.

— Pomyśl jeszcze o tym, dobrze?

— Obiecuję. — Posłałam mu delikatny uśmiech.

Nie płacz po mnie, Argentyno

Kiedy weszłam do domu, ojcowie już na mnie czekali. Na ich twarzach malował się ten sam wyraz zaniepokojenia.

— Co właściwie się stało? — spytał Tata.

Dopiero po chwili dotarło do mnie, że chodzi o wypadek na próbie, a nie o moją rozmowę z Evanem.

— Jak to, co się stało? Zostałam sieknięta mieczem.

— Lucy, dobrze wiesz, o co mi chodzi. Czy naraziłaś kogoś...?

Przed oczami przemknął mi obraz dłoni Evana umazanych moją krwią. Wzdrygnęłam się. „Przecież nic się nie stało — pomyślałam. — Nie miał żadnych ran. Nic mu nie będzie".

— Nie — skłamałam i natychmiast poczułam przypływ wyrzutów sumienia. Nie znosiłam okłamywać moich ojców, ale przecież oni nie mogli za nic w świecie dowiedzieć się, jak bardzo schrzaniłam sprawę. Postanowiłam zatem skierować rozmowę w innym kierunku.

— Dziś na scenie mocno zakręciło mi się w głowie, zachwiałam się. To dlatego Evan...

Papa zacisnął zęby.

— Odczuwasz jeszcze jakieś inne skutki uboczne?

— Nie wiem. Ostatnio czułam się naprawdę zmęczona, ale wiele przyczyn mogło się na to złożyć. — Wzruszyłam ramionami. — Nie było aż tak źle. Może gdybym znajdowała się w bezpiecznej odległości od ostrych metalowych przedmiotów, skończyłoby się inaczej — wyszczerzyłam zęby w uśmiechu, chcąc zlekceważyć sprawę.

— To nie jest śmieszne, Lucy — powiedział Papa.

— Wiem, że nie. Ale mogło być o wiele gorzej — zauważyłam. Trochę zawrotów głowy i zmęczenie wydawały mi się najmniej uciążliwe ze wszystkich skutków ubocznych wymienionych przez doktor Vandoren. Wolę je tysiąc razy bardziej od chronicznej biegunki.

— Jak ręka? — zapytał Tata.

Ponownie wzruszyłam ramionami.

— „Zapewne, nie tak głęboka jak studnia..." — zacytowałam Merkucja i ruszyłam w kierunku schodów.

— Dzwonił Max — zawołał za mną Tata.

Zatrzymałam się gwałtownie i okręciłam na pięcie.

— Naprawdę? Co powiedział?

— Chciał się dowiedzieć, jak się czujesz. Zdaje się, że się o ciebie martwi.

Martwi. O mnie? A może po prostu zwyczajnie spanikował, kiedy Evan powiedział im, żeby nie pozwolili nikomu zbliżyć się do mojej krwi?

Nie oddzwoniłam tego wieczoru, musiałam najpierw zastanowić się, co mu powiem.

~

Kiedy następnego dnia rano zobaczyłam Courtney i Maxa czekających przy mojej szkolnej szafce, wciąż nie miałam wiarygodnego wytłumaczenia. W pierwszej chwili chciałam nawet zawrócić i uciec, ale zdążyli mnie już zauważyć.

Nerwowo przełknęłam ślinę i zbliżyłam się niepewnym krokiem.

— Dawno was tu nie było... — powiedziałam.

Patrzyli się na mnie pełnymi niepokoju oczami. Wiedziałam już, że zaczęli coś podejrzewać.

— Jak twoja ręka? — zapytał Max.

Poklepałam się po grubym bandażu ukrytym pod swetrem.

— W porządku, jakoś przeżyję.

— Dzwoniłem do ciebie wczoraj wieczorem — powiedział.

— Wiem.

— Aha. — Max rzucił Courtney wymowne spojrzenie. Najwyraźniej chciał, żeby się wreszcie odezwała.

Courtney odchrząknęła.

— Wczoraj wszystko posprzątaliśmy... Tak, jak kazał nam Evan.

Zacisnęłam usta i uśmiechnęłam się do niej.

— Dziękuję.

Nie zamierzałam drążyć tego tematu. Patrzyłam na moich dawnych przyjaciół i czekałam, aż zdobędą się na odwagę, aby zadać mi wreszcie to pytanie.

Max przełamał się pierwszy.

— Więc... O co w ogóle chodzi? — zapytał od niechcenia, obrysowując stopą krawędzie kafelków na podłodze.

„Wymyśl coś. Cokolwiek — ponaglał mnie wewnętrzny głos".

Ale w głowie miałam pustkę. Rejestrowałam tylko przepływający przez korytarz niekończący się strumień uczniów, którzy, przechodząc obok nas, mogliby przypadkiem coś usłyszeć.

Nie mogłam powiedzieć im prawdy, ale też nie potrafiłam wymyślić kłamstwa. Nie miałam wyjścia – tylko w jeden sposób mogłam pozbyć się Maxa i Courtney. Zwalczając wewnętrzne opory, zebrałam się na odwagę.

— Od kiedy was to interesuje?! — wrzasnęłam. — Czy mi się wydaje, czy już od jakiegoś czasu się nie przyjaźnimy?

Max aż zadrżał.

— Martwimy się o ciebie.

— Och, dzięki za troskę. Tyle że trochę już na to za późno. Nie pomyśleliście o tym?

Max spojrzał na mnie.

— Nie jesteś sobą, Lucy.

Zaśmiałam się.

— Skąd niby miałbyś to wiedzieć? Nie masz pojęcia, co się ze mną ostatnio działo! — zatrzasnęłam drzwiczki od szafki i odeszłam, zostawiając ich w osłupieniu.

„Idź przed siebie — mówiłam sobie. — Nie oglądaj się".

Przeszywający moje serce ból był tysiąc razy gorszy od ciosu miecza. Ale dzięki temu zyskałam nieco czasu. Muszę tylko mieć w zanadrzu jakieś przekonujące kłamstwo, kiedy następnym razem przyprą mnie do muru.

~

Problem w tym, że nie przewidziałam, że nastąpi to tak szybko.

Na zapleczu sceny przygotowywałam właśnie moje rekwizyty, kiedy poczułam, że ktoś dotknął mojego ramienia. To był Max.

— Lucy — powiedział.

Nastawiłam się na kolejną kłótnię, ale kiedy się odwróciłam, zobaczyłam Maxa i Courtney stojących niebezpiecznie blisko. Spojrzałam na nich z wyrzutem.

— Czego chcecie?

— Rozmawiałem z Evanem — powiedział.

Wciągnęłam gwałtownie powietrze i poczułam, że moje tętno gwałtownie przyspieszyło.

„Co Evan mu powiedział? Dowiedzieli się? Co teraz myślą?"

Bezskutecznie próbowałam wyczytać coś z jego twarzy. Z naszej trójki to on potrafił dobrze kłamać, co zawdzięczał swojej niesamowitej umiejętności nieokazywania żadnych emocji; jeśli tylko tego chciał. Nie to co Courtney. Ta nie potrafiła ukryć emocji. Teraz przygryzała policzek - nieomylny znak, że czymś się martwi.

Najwyraźniej tego ranka coś musiało się wydarzyć. Co właściwie powiedział im Evan? Byłam pewna, że nie zdradził im wszystkiego. Nie po tym, co zrobił wczoraj, by zachować moją tajemnicę.

Musiałam się więc jak najszybciej upewnić.

— Nie możemy tu rozmawiać — powiedziałam. — Chodźmy.

Wyprosiłam oświetleniowców z ich kabiny i wepchnęłam Maxa i Courtney do środka. Byliśmy sami. Nikt nie mógł nas tu usłyszeć. Ale to oznaczało także, że nie było dokąd uciec. Nie mam klaustrofobii, ale czułam się jak w klatce. Wzięłam kilka głębokich oddechów, by nieco uspokoić nerwy. Chciałam to już mieć za sobą.

— Co ci powiedział Evan?

— Nic konkretnego. Tylko tyle, że masz jakiś problem ze zdrowiem, a jeśli chcemy wiedzieć więcej, powinniśmy zapytać ciebie — powiedział Max.

Odetchnęłam z ulgą. Nieokreślony problem ze zdrowiem. To może oznaczać wszystko. Mogłabym mieć coś zupełnie niegroźnego, jak choćby alergię na pyłki. Albo podwyższony cholesterol. Albo niedobór cukru we krwi. Tak! Dokładnie! Spadł mi cukier i dlatego zakręciło mi się w głowie. A Evan po prostu spanikował... Jest taki kochany. Ale nie - w to nie uwierzą. To kompletnie nie trzyma się kupy.

— Zastanawiałem się nad tym — mówił dalej Max, drapiąc się po głowie. — Masz jakiś problem ze zdrowiem, który jest na tyle poważny, że Evan nie chce o tym mówić. Wczoraj zachowywał się bardzo dziwnie, bardzo ostrożnie, jakby twoja krew była zagrożeniem. Z tego, co wiem, można się tak zarazić AIDS. Ale przecież ty tego nie masz. Więc o co chodzi, Lucy?

Poczułam się, jakbym dostała obuchem w głowę. Właściwie Max wszystkiego się domyślił, ale mimo to wykluczył taką ewentualność. Jak teraz mam przyznać rzecz tak straszliwą, że nawet hipotetycznie nie wziął jej pod uwagę?

Spojrzał na mnie uważnie. W oczach miałam łzy.

Nie wiem, co tam dojrzał, ale nagle spoważniał. Zaczął analizować swoje słowa, usiłując zrozumieć, czym mógł doprowadzić mnie do płaczu.

Courtney domyśliła się pierwsza.

— Chyba nie masz AIDS... prawda?

Spuściłam wzrok i wewnętrzną częścią dłoni zaczęłam wycierać łzy. Nie obchodziło mnie, że po całej twarzy rozmazuję tusz do rzęs. Kiedy nie mogłam już znieść tej dzwoniącej w uszach ciszy, przełknęłam ślinę i powiedziałam:

— Jeszcze nie. Ale będę miała.

— HIV? — Niemal bezgłośnie wyszeptała Courtney.

Przytaknęłam, próbując powstrzymać napływające do oczu łzy. Kompletnie zaskoczony Max aż przysiadł na podłodze. Natomiast Courtney patrzyła na mnie jak zahipnotyzowana. Szybko odwróciłam wzrok - nie chciałam widzieć, jak niedowierzanie wypisane na ich twarzach ustępuje miejsca wyrazowi obrzydzenia, niechęci.

— Ale jak? — usłyszałam Courtney.

Nie było już powodu, aby ukrywać resztę. Utkwiłam wzrok na kokpicie do oświetlenia i bawiąc się małymi wskazówkami i pokrętłami, wydusiłam z siebie jedno słowo: „Lee".

Courtney i Max natychmiast domyślili się reszty. Nawet po wielu miesiącach milczenia to jedno słowo wystarczyło, by natychmiast zrozumieli, co mam na myśli.

Właśnie wtedy Andre ogłosił, że za pięć minut rozpoczyna się próba. Oświetleniowcy natychmiast zaczęli dobijać się do drzwi. Musiałam zrobić jeszcze makijaż i przebrać się w kostium sceniczny - idealna wymówka, by się stamtąd ewakuować. Szybko otworzyłam drzwi i wpuściłam techników.

— Musimy już iść — bąknęłam, nie patrząc nawet na Maxa i Courtney, i szybkim krokiem udałam się w stronę wyjścia z balkonu.

— Co, do diabła, zrobiliście z moim kokpitem?! — wrzasnął jeden z oświetleniowców. Nie miałam zamiaru wdawać się w wyjaśnienia, nawet się nie odwróciłam.

Courtney i Max pobiegli za mną.

— Lucy, czekaj! — krzyknęła Courtney.

Udałam, że jej nie słyszę.

— Lucy! Stój! — wrzasnęła ponownie.

W jej głosie niespodziewanie pojawił się jakiś władczy ton, który kazał mi się zatrzymać. Nadeszła chwila prawdy. Wstrzymałam oddech. Wiedziałam, co za chwilę usłyszę: wyjaśnienie, dlaczego nie możemy się już przyjaźnić.

Ale oni bez słowa podeszli i przytulili mnie. Przez kilka minut stałam tam zanurzona w poczuciu ciepła i bezpieczeństwa. W jednej chwili runęły wszystkie mury, które zdążyłam wznieść wokół siebie.

Mogłabym tak stać cały dzień, ale na ziemię sprowadziło nas hasło: „Na miejsca!".

Wtedy zobaczyłam w ich oczach łzy.

— Nie płaczcie — powiedziałam. — Proszę.

Max przytaknął i odchrząknął.

— Chodź, Luce — powiedział, biorąc mnie za rękę. — Pokażemy im, jak się gra.

Poczułam tak ogromną ulgę, że ledwie dostrzegłam Elyse ukrytą w cieniu loży. Na jej twarzy malował się wyraz śmiertelnego przerażenia.

Szczęście

Nie miałam czasu odpocząć i złapać tchu. Po cudownym pogodzeniu się z Maxem i Courtney, czyli dwojgiem najbardziej oddanych i niesamowitych przyjaciół na świecie, pobiegłam przebrać się w kostium i naprędce zrobić choćby prowizoryczny makijaż. Musiałam zdążyć przed moim wielkim wejściem w akcie I, scenie 4.

Zaabsorbowana zmianami kostiumów, scenerii oraz całym tym zakulisowym zgiełkiem myślałam tylko o sztuce. Ale to akurat było pozytywne. Cieszyłam się, że do rzeczywistości sprowadza mnie coś tak trwałego i ponadczasowego jak Szekspir.

Evan podszedł do mnie podczas antraktu.

— Max przyparł mnie do muru — wyznał ze skruchą w głosie. — Naciskał, żeby mu powiedzieć, co się dzieje. Nie wiedziałem, co robić.

— Evan — odrzekłam — nic się nie stało. Już im powiedziałam.

— Naprawdę?

— Tak.

— I?

— I wszystko w porządku.

Jego twarz się rozjaśniła.

— Widzisz? Wiedziałem, że możesz im zaufać. A ty się tak martwiłaś. Za mało wierzysz w ludzi, Lucy.

Spojrzałam na niego.

— Może i tak, ale mimo wszystko nie chcę, żeby ktoś jeszcze się o tym dowiedział.

— Rozumiem — powiedział, kiwając głową. — Zastanawiałaś się może nad naszą ostatnią rozmową?

Szczerze mówiąc - nie. Całą noc głowiłam się, co mam powiedzieć Maxowi i Courtney. Ale od naszej rozmowy minął tylko dzień i nic się w tej kwestii nie zmieniło.

— To, co powiedziałam wczoraj, jest nadal aktualne — odrzekłam łagodnie. — Potrzebuję trochę czasu.

Przytaknął. Na jego twarzy pojawił się smutek.

— Dobrze. Nie będę już pytał.

Posłałam mu delikatny uśmiech i poklepałam delikatnie po ramieniu.

— Cierpliwości, młody padwanie.

Ze śmiechem Evan podniósł ręce do góry.

— A do tego cytuje *Gwiezdne wojny*! Kocham tę dziewczynę.

Nasze efektowne miecze kazano nam zastąpić atrapami, ale w tej kwestii nie mieliśmy raczej wyjścia. Dostaliśmy nauczkę. Rekwizyty były lżejsze i łatwiej było nimi manewrować. Po uporaniu się z kwestią pechowego pojedynku cała sztuka szła już jak z płatka.

No prawie.

Nikt nie wiedział, co się dzieje z Elyse. Naszą diwę najwyraźniej dopadła przedwczesna trema - wciąż zapominała swoich kwestii, które dzień wcześniej mówiła bez zająknięcia, a do tego przegapiła swoje wejście aż cztery razy.

Zachwycona obserwowałam zza kulis, jak wciąż się potyka. Wreszcie ktoś inny coś psuł, nie ja. Tym razem czarną owcą była Elyse, co cieszyło mnie bardziej, niż gdyby to był ktoś inny.

W ostatniej chwili Andre postanowił przedłużyć próbę. Nadal nie dopuszczał do siebie myśli, że przedstawienie może się nie udać i z uporem godnym maniaka próbował postawić sztukę na nogi.

O szóstej zadzwoniłam do domu.

— Tato? — zaczęłam. — Nie mogę pójść dziś na spotkanie. Andre przedłużył próbę.

— Nie ma mowy, Lucy. Ostatnio byłaś na spotkaniu tydzień temu. Powiedz Andre, że masz coś ważniejszego do załatwienia.

— Nie rozumiesz - premiera jest już za trzy dni! Muszę tu zostać.

— Przykro mi, kochanie. Nie przekonasz mnie — powiedział.

— Ale co ja powiem Andre? — nie odpuszczałam.

— Powiedz mu, że nawet nie wie, jakie ma szczęście, że twoi ojcowie w ogóle pozwalają ci jeszcze grać w tej sztuce po tym, jak przez jego zaniedbanie wylądowałaś w szpitalu i zyskałaś ozdobę w postaci trzydziestu szwów na ramieniu — odpowiedział zjadliwie Tata.

— Trzydziestu dwóch — bąknęłam.

— Właśnie.

— Za nic mu tego nie powiem.

— Wszystko mi jedno, co mu powiesz, Lucy. Ale masz iść na to spotkanie.

Westchnęłam.

— Dobra. Do zobaczenia w domu.

~

Sprzedałam Andre jakąś bajeczkę o wizycie kontrolnej u lekarza w związku z moją raną i puścił mnie bez gadania. Tata miał chyba rację, że Andre czuje się winny. Kiedy Chris Mendoza chciał iść do domu, bo musiał popilnować młodszej siostry, kazał mu wracać na scenę i nie zawracać mu głowy takimi głupotami.

Pół godziny później siedziałam w samochodzie z ojcami i Lisą. Kierowaliśmy się na Manhattan.

Na moje nieszczęście tylne siedzenie musiałam dzielić z Lisą. Co jakiś czas w szybie migało mi odbicie jej nadąsanej miny i całą siłą woli powstrzymywałam się od przywalenia jej w tę nabzdyczoną gębę.

— Czy ktoś łaskawie mi powie, dokąd jedziemy? — jęczała.

— Lucy musi gdzieś być o ósmej, a my ją tam zawozimy. Uwierz mi, więcej informacji nie potrzebujesz — odpowiedział spokojnie Papa.

— Ale dlaczego ja muszę z wami jechać?

Papa kpiąco spojrzał na nią we wstecznym lusterku.

— Dam ci szansę i pozwolę samej do tego dojść, Liso. Spójrz na to tak - przez następną godzinę będziesz miała się nad czym głowić.

Uśmiechnęłam się. Naprawdę podobało mi się jego nowe, lekceważące podejście do tej kobiety.

Ucieszyłam się, kiedy przed czasem dotarliśmy na miejsce. Chciałam jeszcze porozmawiać z Roxie. Układała właśnie ciasteczka na paterze. W jej szmaragdowych paznokciach odbijały się światła pomieszczenia.

— Hej — powiedziałam.

Zdziwiona podniosła wzrok.

— Lucy! Wróciłaś!

— Tak, przepraszam. Nie było jak dojechać przez te śniegi.

— Racja... Ciągle zapominam, że mieszkasz w północnej części stanu.

— Westchester to jeszcze nie północna część stanu — powiedziałam. — To tylko dwadzieścia pięć[11] mil stąd.

Roxie roześmiała się.

— Wybacz, nie chciałam cię urazić. Ale myślałam, że jesteś na mnie mocno wkurzona.

Skrzywiłam się na myśl o ostatnim spotkaniu.

— Byłam. W sumie nadal jestem. Ale tylko trochę. Dlaczego to zrobiłaś?

— Wydawało mi się, że to pomoże... Moja wina. — Spojrzała na mnie zmieszana.

— Szczerze mówiąc, chyba pomogło. — Opowiedziałam jej o kłótni z Lisą i o tym, jak okazało się, że Lisa cały ten czas ćpała.

---

[11] 25 mil ≈ 40 km

— O rany — powiedziała Roxie, szeroko otwierając oczy. — Faktycznie trochę przeszłaś.

— To jeszcze nie wszystko — Podwinęłam rękaw i pokazałam jej moją ranę bitewną. Powiedziałam też, że zaczęłam brać leki. Wspomniałam również o Evanie, Maxie i Courtney, ale incydent z Ty'em zachowałam dla siebie. Wiem, że z wielu powodów nie powinnam była iść z nim do łóżka i próbowałam wymazać z pamięci wydarzenia tamtego śnieżnego piątkowego popołudnia.

Wówczas jeszcze się nie spodziewałam, ile będzie kosztował mnie ten błąd.

Kiedy tego wieczoru wróciłam do domu, na naszej domowej skrzynce głosowej czekała na mnie wiadomość.

— Dobry wieczór, tu dyrektor Fisher ze szkoły średniej Eleanor — przedstawił się nagrany głos.

„Mój dyrektor? Dlaczego dzwoni?"

— Chciałbym zaprosić pannę Moore do mojego gabinetu jutro rano przed rozpoczęciem zajęć. Proponuję godzinę siódmą rano. Dziękuję. Do zobaczenia. — Koniec wiadomości.

Spojrzeliśmy się na siebie z ojcami. O co mu może chodzić?

Houston, mamy problem

Wygładziłam spódniczkę, wzięłam głęboki oddech i zapukałam do drzwi gabinetu pana Fishera. Ojcowie chcieli przyjść ze mną, ale odwiodłam ich od tego zamiaru. Teraz tego żałowałam – nie miałam pojęcia, co mnie czeka i uświadomiłam sobie, że przydałoby mi się jednak ich wsparcie.

Nie przypuszczałam, żeby dyrektor w ogóle mnie kojarzył. Byłam wzorową uczennicą, która nigdy nie zrywała się z lekcji i kumplowała tylko z ludźmi z koła teatralnego. Być może pan Fisher przeprowadzał po prostu takie rozmowy ze wszystkimi uczniami młodszych klas w ramach przygotowań do wyboru college'u i egzaminów końcowych? Nie, to raczej nie to – takie spotkanie z grupą niemal 600 uczniów odbyłoby się w godzinach lekcyjnych i byłoby już dawno zaplanowane. Musiał zatem istnieć jakiś inny powód.

Drzwi się otworzyły i przede mną stanął pan Fisher. Nigdy nie widziałam go z tak bliska. Był o wiele wyższy, niż sądziłam - miał chyba jakieś dwa metry wzrostu. Uwagę zwracały jego wąsy, które – na tle reszty włosów – wydawały się ogniście rude. Na nosie miał pokryte smugami, dawno nieczyszczone okulary.

— Zapraszam, panno Moore. Dziękuję, że znalazłaś czas na spotkanie — powiedział, zamykając drzwi.

Sądziłam, że w tej kwestii raczej nie mam wyboru.

— Ależ oczywiście — odparłam uprzejmie.

— Siadaj, proszę. — Wskazał mi miejsce na obitym skórą krześle z wysokim oparciem, a następnie sam zasiadł w swoim supernowoczesnym fotelu po drugiej stronie biurka. Usadowiłam się na krześle, które było tak wysokie, że moje stopy dyndały kilka centymetrów nad podłogą. Zastanawiałam się, czy specjalnie je tu postawił, żeby w siedzących na nim uczniach wzbudzić poczucie niższości.

— Ciekawa jesteś pewnie, dlaczego cię wezwałem.

— Tak — przyznałam od razu. — Coś zrobiłam?

Pan Fisher zawahał się, a ja uświadomiłam sobie, że nie tylko ja odczuwałam zdenerwowanie.

— Ależ nie. Nie mam ci nic do zarzucenia — powiedział.

— Aha…

— Zostałem poinformowany o dość… delikatnej sprawie. Chciałbym z tobą na ten temat porozmawiać — mówił dalej, wciąż nie wdając się w szczegóły.

Zmarszczyłam brwi.

— Jakiej sprawie?

— Dotyczącej twojego… zdrowia. — Przełknął ślinę i zmusił się, żeby spojrzeć mi wreszcie w oczy. — Sądzę, że domyślasz się, o czym mówię?

Oczywiście, że tak. Nie miałam tylko pojęcia, w jaki sposób ta informacja dotarła do dyrektora mojej szkoły. Zawstydzenie i poczucie zdrady paliły moją twarz.

— Kto panu powiedział? — wyszeptałam.

— Niestety nie mogę ujawnić — stwierdził sztywno.

Zamrugałam zdziwiona.

— Dlaczego?

— Obowiązują mnie przepisy dotyczące poufności…

Przez dłuższą chwilę gapiłam się na niego w osłupieniu, starając się naprędce wymyślić, co powinnam teraz uczynić.

— Proszę pana — zaczęłam powoli — skoro nie chce mi pan nic powiedzieć, dlaczego mnie pan tu wezwał?

Odchrząknął.

— Chciałbym ci coś zaproponować. O ile mi wiadomo, jesteś pierwszą uczennicą w naszej szkole z... takim problemem...

— Z HIV — uściśliłam. Skoro on mógł stawiać mnie w niezręcznej sytuacji, ja zrobię to samo.

— Tak. Pomyślałem, że to doskonała okazja do przeprowadzenia szkolnej pogadanki o tym, jak ważna jest odpowiedzialność. Mogłabyś poprowadzić takie spotkanie. Doskonale się do tego nadajesz. Oczywiście, moglibyśmy poprosić o pomoc nauczycieli od edukacji zdrowotnej, ale uważam, że ty byłabyś znacznie bardziej przekonująca. Co o tym sądzisz?

Nie mogłam uwierzyć własnym uszom. Czy ten człowiek nie wiedział, że nie może mnie zmuszać do takich rzeczy? Już sama propozycja jest dość kontrowersyjna.

Z drugiej strony drzwi dobiegał głośniejszy tupot nóg - szkolne autobusy przywoziły uczniów na pierwszą lekcję. Uczniów, którzy, o ile pan Fisher postawiłby na swoim, wkrótce poznaliby mój sekret.

— Nie — powiedziałam krótko.

Kąciki jego ust nieznacznie opadły.

— Mogę wiedzieć dlaczego? — zapytał.

— Nie sądzę, żebym się do tego nadawała — odpowiedziałam.

Pan Fisher przytaknął. Nie wydawał się jednak specjalnie zniechęcony moją odmową.

— A gdybym ci powiedział — zaczął niezbity z tropu — że jeśli ponownie przemyślisz tę sprawę, zostaniesz zwolniona z zajęć wychowania fizycznego?

— Żadnego wysiłku, pocenia się, biegania w jakichś maratonach, siłowni?

Pan Fisher nerwowo zachichotał.

— Dobrze wiem, że większość dziewcząt w twoim wieku niespecjalnie przepada za tego rodzaju zajęciami.

— I zdam bez oceny z przedmiotu?

— Uczestnictwo w pogadance dałoby ci niezależną ocenę z edukacji zdrowotnej — wyjaśnił.

Przez chwilę wyobraziłam sobie, jak cudownie byłoby nie musieć się męczyć i ciągle lękać o zdrowie swoje i innych. Kusiło mnie, żeby się zgodzić. Ale w błąkającym się po twarzy pana Fishera uśmieszku samozadowolenia było coś, co mnie trochę zaniepokoiło. Jemu chodziło o coś zupełnie innego…

I wtedy do mnie dotarło.

Pan Fisher nie starał się wyświadczyć mi żadnej przysługi. On ratował tylko własny tyłek. Wydawało mu się zapewne, że uknuł oto plan idealny: pod przykrywką wychowawczej pogadanki zmusi dziewczynę zarażoną HIV, by się ujawniła, a następnie celowo zwolni ją z WF-u, żeby nie narażać innych uczniów. Tysiące rodziców uznałoby go zapewne za bohatera, który uchronił ich dzieci przed pewną śmiercią. Już sobie wyobraziłam, jak Związek Rodziców i Nauczycieli nadaje mu tytuł Dyrektora Roku.

„Więc o to chodzi" — skonstatowałam zaskoczona. To było jedno z pierwszych moich spotkań z okrutnym światem i dyskryminacją. Sądziłam, że jestem już przygotowana na tego typu sytuacje i kiedy coś takiego mnie spotka, będę wiedziała, jak zareagować. Ależ byłam naiwna. Ostrzeżenia Roxie, historie innych osób z grupy wsparcia zaliczały się do bezkształtnej i bezbarwnej teorii, która nie umywała się do bolesnej rzeczywistości.

Czułam się skażona i bezwartościowa.

Udało mi się jakoś opanować i podnieść wzrok na pana Fishera. Musiałam przecież coś powiedzieć. Co więcej, chciałam mieć pewność, że moje słowa do niego dotrą.

— Panie dyrektorze, dziękuję za tę… propozycję, ale mimo wszystko muszę odmówić. Nie chcę być odmieńcem. To szkoła publiczna, a ja mam prawo do równego traktowania z resztą uczniów - wolnego od wszelkich przejawów dyskryminacji na jakimkolwiek tle. Przemęczę się przez te zajęcia z WF-u jak każdy inny uczeń — stwierdziłam spokojnie.

Przerwałam na chwilę, zastanawiając się, co powiedzieć dalej. Nigdy jeszcze nie mówiłam w ten sposób do nikogo na takim stanowisku. To był przecież dyrektor mojej szkoły. Ale mimo wszystko musiał zrozumieć, jak niewłaściwe było to, co zamierzał uczynić.

— Jeśli jeszcze raz poprosi mnie pan na tego typu spotkanie lub postanowi z tego powodu potraktować mnie w specjalny sposób, pozwę pana do sądu. Mój ojciec jest prawnikiem, panie Fisher. Świetnym prawnikiem.

Przytaknął. Zrobił się zupełnie blady, za to ja nabierałam pewności siebie.

— Jeszcze jedno – jestem dobrą uczennicą i sumiennie wykonuję wszelkie szkolne obowiązki. Skoro tak bardzo bierze pan sobie do serca przepisy, poinformuję pana o tym najważniejszym: zgodnie z prawem stanu Nowy Jork nie wolno panu nikomu ujawniać informacji o moim nosicielstwie. Ani szkolnej pielęgniarce, ani żonie. Nikomu. Moje zdrowie to tylko i wyłącznie moja sprawa. — To była jedna z cennych informacji, którą zapamiętałam z broszur otrzymanych od Roxie. — Zapewne jest pan tego świadom?

— Oczywiście — powiedział, wyraźnie wytrącony z równowagi faktem, że nasza rozmowa wymknęła mu się spod kontroli. Najwyraźniej nie spodziewał się takiego obrotu sprawy.

— To dobrze. — Wówczas do głowy przyszła mi straszna myśl. — Mam nadzieję, że nie zdążył pan jeszcze nikomu o tym powiedzieć?

— Nie — zapewnił mnie. — Oczywiście, że nie. Chciałem najpierw porozmawiać z tobą.

Spojrzałam na niego przenikliwie, dając mu tym samym do zrozumienia, że przejrzałam go na wylot.

— Niepotrzebnie sprawiłem ci przykrość — dodał szybko, machając przy tym ręką, jakby chciał zatrzeć złe wrażenie i jak najszybciej zapomnieć o całej rozmowie. — Nie miałem złych zamiarów...

Kiedy tylko usłyszałam pierwszy dzwonek, podniosłam się z miejsca.

— Muszę już iść na lekcję — powiedziałam i wyszłam z gabinetu. Chłodny powiew powietrza na korytarzu omiótł moje spocone ze stresu czoło.

~

Od razu pognałam w kierunku auli, nie zawracając sobie nawet głowy zostawianiem kurtki w szafce. Chwyciłam Evana, Maxa i Courtney, i nieco oszołomionych zaciągnęłam siłą na korytarz, gdzie względnie spokojnie mogliśmy porozmawiać. Po spotkaniu z dyrektorem miałam kompletny mętlik w głowie.

— Wszystko w porządku? — zapytała Courtney.

— Nie, ani trochę — warknęłam. — Komu powiedzieliście?

Wszyscy troje wlepili we mnie wzrok.

— Jedno z was musiało się wygadać, teraz ja muszę wiedzieć komu. To ważne.

Wciąż milczeli. Zaczęłam więc od Evana.

— Evanie?

Spojrzał na mnie urażony.

— Jezu, myślałem, że zasłużyłem już sobie na twoje zaufanie.

— To nie jest żadna odpowiedź — odburknęłam.

Evan przewrócił oczami.

— Oczywiście, że nikomu nie powiedziałem.

Przez kilka sekund mierzyłam go jeszcze uważnie wzrokiem i nie stwierdziwszy żadnych oznak krętactwa, spojrzałam pytająco na Maxa.

— Komu powiedziałeś?

— Nikomu, przysięgam! — powiedział.

— Nikomu?

— Nikomu.

— Przysięgnij na swój album z *Equusa* z autografem Daniela Radcliffa — rozkazałam.

— Weź, Luce... Jaja sobie robisz?

— Zrób to.

— No dobra. — Max podniósł prawą dłoń. — Przysięgam na mój album z *Equusa* z autografem Daniela Radcliffa, że nikomu o tym nie powiedziałem. Matko...

Została tylko Courtney. Spojrzałam jej prosto w oczy.

— A ty?

— Lucy, znasz mnie doskonale. W życiu nie zdradziłabym twojego sekretu. Przecież wiesz — powiedziała lekko drżącym głosem.

Westchnęłam sfrustrowana.

— W każdym razie ktoś się wygadał i z pewnością nie byli to moi ojcowie. W Eleanor Falls tylko wasza trójka o tym wie.

— Możesz nam łaskawie powiedzieć, o co w ogóle chodzi? — zapytał Max.

— Pan Fisher właśnie poprosił mnie, żebym poprowadziła jakąś durną pogadankę o bezpiecznym seksie dla całej szkoły. Uznał, że idealnie się do tego nadaję... — powiedziałam ściszonym głosem.

— Co takiego? — zdziwił się Evan. — Kto mu powiedział?

Spojrzałam na niego poirytowana.

— Właśnie to próbuję ustalić.

Głowiłam się nad tym cały dzień. Max, Courtney i Evan zaklinali się, że nie pisnęli nikomu ani słowa. Wierzyłam im. Kto w takim razie wypaplał? To nie miało żadnego sensu - przecież poza nimi nikt o tym nie wiedział.

W czasie lunchu zadzwoniłam do Roxie.

— Wiem, że pomyślisz, że mam jakieś paranoje — zaczęłam — ale powiedz, czy znasz kogoś w Eleanor Falls?

— Co to jest Eleanor Falls? — zapytała.

— Moje miasteczko.

— Nie. Nigdy o nim nie słyszałam. A co się dzieje?

— Ktoś powiedział dyrektorowi mojej szkoły, że jestem nosicielką. A ja nie mam pojęcia, kto to mógł być.

Głos Roxie nagle spoważniał.

— Lucy, to niedobrze. Musisz ustalić, kto to zrobił, i to jak najszybciej. Ta osoba może to rozpowiedzieć w całej szkole. A to nie będzie przyjemne, musisz temu zapobiec.

— Wiem, wiem. Pracuję nad tym — westchnęłam. — Do zobaczenia w czwartek — rozłączyłam się, trąc czoło z bezsilności.

„Jeśli moi przyjaciele mnie nie zdradzili, to w takim razie kto? O czym nie wiedziałam? Co mi umknęło? Coś przecież musiało się wydarzyć. Kto to był i w jaki sposób się dowiedział?" Byłam już prawie pewna, że to ktoś spoza grona bliskich mi osób.

I nagle mnie olśniło. Oczywiście! Tylko jedna osoba mogła się do czegoś takiego posunąć.

Tonący brzytwy się chwyta

Elyse St. James. I wszystko jasne... Gdy wczoraj wybiegłam z kabiny oświetleniowców, Elyse stała na balkonie, a ja, idiotka, nie zwróciłam na nią uwagi. Kiedy teraz to analizowałam, przypomniało mi się, że była czymś przerażona.

A potem na próbie zachowywała się tak dziwnie. Zapewne nie bez przyczyny. Może jakimś cudem usłyszała moją rozmowę z Maxem i Courtney, a potem pobiegła z tym do dyrektora.

Jeśli to prawda, nie ujdzie jej to na sucho.

Wpadłam do damskiej garderoby.

— Dziewczyny, możecie zostawić mnie na chwilę samą z Elyse? — poprosiłam przez zaciśnięte zęby.

Rozległy się protesty, ale kiedy dziewczyny zobaczyły moją minę, szybko ucichły. Stałam ze wzrokiem utkwionym w znieruchomiałej ze zgrozy twarzy Elyse. Byłam wściekła.

Przekręciłam klucz w drzwiach, żeby uniemożliwić jej ucieczkę i jeszcze na wszelki wypadek zagrodziłam drogę do drzwi. Elyse była w potrzasku.

— Dlaczego to zrobiłaś? — zapytałam ostro, stojąc z zaciśniętymi z wściekłości dłońmi.

— Ja… nie mam pojęcia, o co ci chodzi — wydukała.

Na twarzy miała już grubą warstwę makijażu scenicznego i właśnie skończyła obrysowywać kredką pierwsze oko. Wyglądała jak niedokończona lalka.

— Daruj sobie, Elyse. Wiesz, o czym mówię. Dlaczego to zrobiłaś?

Unikała mojego wzroku.

— Nie wiem — bąknęła.

A jednak!

— Na pewno wiesz — odparłam niezrażona. — Nikt dla rozrywki nie łazi do dyrekcji i nie rozpowiada o prywatnych sprawach innych uczniów. Oświeć mnie zatem.

Cisza.

— Elyse!

Nawet na mnie nie spojrzała. Przeczesałam włosy, lekko zniżyłam głos i spróbowałam innej taktyki.

— Słuchaj. Po tylu latach ziania do siebie nienawiścią mogłybyśmy być przynajmniej ze sobą szczere. — Może to była ckliwa, naiwna gadka, ale jeśli miała poskutkować…

Cisza.

WRRR!

— Dobra, to może zróbmy tak — powiedziałam, chwytając się coraz bardziej desperackich sposobów. — Cokolwiek tu teraz powiemy, zostaje między nami i nigdy już nie wrócimy do tego tematu.

Nadal cisza.

To było nie do zniesienia. Czułam, jakbym próbowała wykrzesać emocje ze ściany. Nie mogłam jednak wyjść bez odpowiedzi. Musiałam wiedzieć, czemu tak się zawzięła, żeby zniszczyć mi życie.

— Proszę — zaczęłam błagać, z przerażeniem zauważając, że załamał mi się głos. — Proszę, Elyse. Pomóż mi zrozumieć.

Miałam już tego dość. Ta właśnie chwila była idealną metaforą wszystkiego, przez co w tym roku przechodziłam: uwięziona w ciasnym pomieszczeniu, stopniowo popadająca w obłęd, bezskutecznie próbuję walczyć, krzyczeć, prosić i błagać o jakiekolwiek wyjaśnienie, o choćby najnędzniejszy skrawek prawdy, który rzuciłby nieco światła na pytanie *dlaczego*. Bezsilnie osunęłam się na podłogę i oparłam głowę na kolanach.

Dochodziło mnie miarowe tykanie zegara na ścianie.

Wreszcie Elyse drgnęła i odezwała się.

— Jestem przerażona. Dlatego to zrobiłam.

Podniosłam głowę.

— Czym przerażona?

— Ty kochał się z tobą, a potem ze mną — wyjaśniła krótko. Reszty miałam domyślić się sama.

Przed oczami pojawiły mi się roztańczone małe złote iskierki, które wyostrzając obraz, wyklarowały też znaczenie słów Elyse.

— Więc boisz się, że…

— Ja też to mam? — dokończyła drżącym głosem.

A zatem o to jej chodziło…

— Oczywiście, że tego nie masz! Zabezpieczyliśmy się z Ty'em.

— A co jeśli kondom zawiódł?

— Nie zawiódł.

— Ale jeśli tak? — powtórzyła przerażona.

— Nie pękł, jeśli o to pytasz.

— Ale jeśli stało się coś innego?

Zaczynało mnie to wkurzać.

— Prezerwatywy działają. Dlatego wszyscy wciąż gadają o „bezpiecznym seksie". Gdyby nie były skuteczne, nie byłyby uważane za bezpieczne, prawda?

Zastanowiła się nad tym przez chwilę.

— A co z całowaniem?

— Nie rozumiem.

— A jeśli zaraziłaś go, całując?

Zacisnęłam usta. Byłam już kompletnie skołowana.

— Chyba wiesz, że w ten sposób nie można się zarazić?

— Tak, słyszałam o tym, ale czemu mam w to wierzyć? — powiedziała, jakby nie dopuszczając do siebie logicznych argumentów.

— Elyse — odpowiedziałam spokojnie. — Zaufaj mi. Nie masz się czym martwić. Naprawdę.

Wówczas po raz pierwszy spojrzała mi prosto w oczy.

— Jesteś pewna?

— Tak, jestem pewna.

Usłyszawszy to, Elyse odetchnęła z ulgą.

— Więc dlatego powiedziałaś dyrektorowi? Bo bałaś się, że się tym zaraziłaś? — podjęłam na nowo.

— Tak.

— Ale to jest zupełnie nierozsądne — stwierdziłam przytomnie.

— Tylko to przyszło mi do głowy. Chciałam się zemścić.

Nadal nic z tego nie rozumiałam.

— I czego się spodziewałaś? Że mnie zawiesi?

Wzruszyła ramionami.

— Myślałam, że cię wyrzucą...

— Ale Elyse... w takim razie powinni zrobić to samo z tobą. Skoro przypuszczałaś, że też to masz.

— Nie twierdzę, że to był przemyślany plan.

Miałam wielką ochotę się roześmiać, choć w istocie nie było mi do śmiechu.

— Powiedziałaś komuś jeszcze? — zapytałam.

Potrząsnęła głową, przecząc.

— Do Ty'a się nie odzywam, a moi rodzice zabiliby mnie, gdyby się dowiedzieli, że w ogóle uprawiam seks — przyznała.

— A co z twoimi znajomymi?

Elyse przygarbiła się lekko.

— Nie mam wielu znajomych. Tutaj każdy ma już swoją paczkę i trudno wkupić się w wasze łaski.

Musiałam pamiętać, kto tu jest ofiarą. Nie miałam zamiaru się teraz nad nią litować.

— Cóż, wcale mnie nie dziwi, że nie masz tu zbyt wielu przyjaciół. Raczej nie wzbudzasz sympatii...

Elyse wzruszyła tylko ramionami.

— Taka już jestem.

„Chwila. Czy mi się wydaje, czy przeszłyśmy teraz do omawiania jej problemów?"

— Czekaj. Chcę wiedzieć, jakim cudem się domyśliłaś, że...

— Domyśliłam się, że coś się dzieje, ponieważ razem z Courtney i Maxem zachowywaliście się bardzo dziwnie. Kiedy zobaczyłam was w kabinie oświetleniowców, poszłam za wami. Byłam po prostu ciekawa.

„Jest jednak pewna różnica między ciekawością a wścibstwem" — pomyślałam, ale nic nie odrzekłam.

— Udało mi się przekonać jednego z techników, żeby pożyczył mi słuchawki. W kabinie mieliście włączony mikrofon, więc słyszałam całą waszą rozmowę — dokończyła Elyse.

„Jak mogłam być tak głupia?"

Obie zamilkłyśmy, każda pogrążona we własnych myślach.

Przez chwilę rozglądałam się po garderobie zagraconej dziwaczną i eklektyczną kolekcją kostiumów, rekwizytów i plakatów z wcześniejszych przedstawień. Na suficie wisiała zahaczona o perukę z *Annie* głowa Makbeta. Z jej szyi wystawał pal. Potrząsnęłam głową. Moje życie jest zdecydowanie zbyt dziwne.

W końcu spojrzałam na zegar. Próba kostiumowa miała się zacząć za kilka minut, a cała żeńska część obsady została przeze mnie wyrzucona z garderoby.

— Chyba musimy kończyć.

Elyse przytaknęła i wstała.

— Racja. *The show must go on*[12].

— Pamiętaj o drugim oku — przypomniałam jej.

Spojrzała w lustro.

— A tak. Dzięki.

Patrzyłam, jak zabiera się do kończenia makijażu. Jakaś część mnie ucieszyła się, że przeprowadziłyśmy wreszcie tę rozmowę, choćby tylko z tego względu, że Elyse ukazała swoją ludzką twarz. Może i piekielnie wkurzającą, ale też odrobinę mniej złą i pozwalającą się lepiej zrozumieć.

---

[12] *The Show Must Go On* – utwór brytyjskiej grupy Queen z albumu *Innuendo*. Tekst tego utworu nawiązuje do śmiertelnej choroby wokalisty Freddiego Mercury'ego i angielskiego idiomu *show must go on* – przedstawienie musi trwać (przyp. red.).

— Elyse?

— Tak?

— Proszę, nie mów o tym nikomu. Zwłaszcza Ty'owi. Jeśli dowiedziałby się prawdy, byłby wściekły i w sumie miałby rację. o tym, co zrobiłam, nic by go nie powstrzymało przed zdradzeniem mojego sekretu. Ani bym się obejrzała, dowiedziałoby się całe koło teatralne, a wkrótce potem cała szkoła.

Elyse odwróciła się od lustra i uśmiechnęła do mnie cierpko.

— W tej kwestii musisz mi po prostu zaufać — powiedziała.

Zaczerpnęłam głęboko powietrza i przytaknęłam. Nie miałam innego wyboru.

Przedstawienie czas zacząć

Za piętnaście minut na miejscach! — ogłosiła inspicjentka w żeńskiej garderobie.

— Dzięki! — odpowiedziałyśmy chórem.

Nałożyłam kolejną warstwę jaskrawoczerwonej szminki i odeszłam kilka kroków, żeby przejrzeć się cała w lustrze. Sznurowane botki do połowy łydki? Są. Czerwony gorset i miecz? Są. Nagie ramię przyozdobione mnóstwem czarnych szwów? Jest.

Uśmiechnęłam się. Będę najbardziej zawadiackim Merkucjem wszech czasów.

Atmosfera za kulisami pełna była radosnego napięcia i wyczekiwania. Czegoś takiego doświadczyć można tylko w dzień premiery. Sunęłam dłońmi po grubej niebieskiej kurtynie, aż natrafiłam na wąski prześwit. Dyskretnie wyjrzałam z miną szpiega. Sprzedano chyba wszystkie bilety, tak więc większość miejsc na widowni była już zajęta. W poszukiwaniu moich bliskich przebiegłam wzrokiem po zniecierpliwionym tłumie. Tata i Papa, którzy zarezerwowali swoje miejsca już wiele miesięcy temu, siedzieli w środkowej części czwartego rzędu, a na kolanach trzymali przeogromny bukiet róż. Lisa siedziała w bocznej kolumnie kilka rzędów za nimi. Papa co jakiś czas odwracał głowę, by się upewnić, że wciąż tam jest.

Spojrzałam na miejsca na balkonach. Udało mi się wypatrzyć Roxie, jej młodszego brata Alexa, June, Ahmeda i przynajmniej sześć albo siedem innych osób z naszej grupy. Roxie odwołała dzisiejsze spotkanie, żeby wszyscy mogli przyjść i mnie wspierać. Widząc, jak z zainteresowaniem wertują program i dyskutują, poczułam przypływ ogromnej wdzięczności.

— Oszustka — usłyszałam głos i aż podskoczyłam.

Szybko przysłoniłam lukę i się odwróciłam. Za mną stał Evan, a po jego twarzy błąkał się uśmiech. Na ten widok serce zabiło mi mocniej. Wyglądał świetnie. Jego biała koszula była rozpięta pod szyją, włosy w artystycznym nieładzie. Na jego barku spoczywał miecz. Szybko musiałam przywołać się do porządku. To, że jest tak przystojny, w żadnej mierze nie jest powodem, byśmy znowu byli razem.

— O co ci chodzi?

— Nie powinnaś podglądać widowni przed podniesieniem kurtyny — powiedział. — Psujesz całą zabawę.

— Mów za siebie — powiedziałam, śmiejąc się. — Dla mnie to jeszcze lepsza zabawa, kiedy zobaczę, ile tam ludzi.

Evan przewrócił oczami.

— Połamania kości — powiedziałam.

— Tobie też. A może lepiej „pęknięcia szwu"?

— Nawet o tym nie myśl! — powiedziałam, instynktownie zerkając na ramię. — Tylko tego by brakowało!

Podeszli do nas Max i Courtney. Wyglądali uroczo w swoich błękitnych kostiumach państwa Kapulettich.

— O rany, Luce. Niezła z ciebie laska — powiedział Max, patrząc na mnie zaskoczony. Z łobuzerskim błyskiem w oku odwrócił się do Evana i powiedział:

— Prawda, Evan?

— Max! — syknęłam, nim Evan zdążył cokolwiek odpowiedzieć, a Maxowi posłałam mordercze spojrzenie. — Zamknij się — powiedziałam do niego.

Max zatrzepotał tylko gwałtownie rzęsami i spojrzał na mnie niewinnie.

— Ale naprawdę wyglądasz świetnie, Lucy — powiedziała Courtney. — O wiele lepiej niż ja w tym stelażu.

Zachichotałam. Suknia była raczej masywna, ale Courtney dobrze w niej wyglądała - bardzo dostojnie. Idealnie oddawała charakter postaci.

— Steven Kimani nie będzie mógł oderwać od ciebie oczu — stwierdziłam, uśmiechając się.

Na sam dźwięk jego imienia Courtney zrobiła maślane oczy. Wyglądała jak trafiona strzałą Amora nastolatka, co zapewne odpowiadało prawdzie.

— Steven przysłał mi kwiaty do garderoby — pochwaliła się.

— I dobrze! — stwierdziłam. — Niech się stara, bo spotka go mój gniew. — Mówiąc to, znacząco pogłaskałam swój miecz.

— Uuu, krwawa Luce! — ironicznie powiedział Max.

— Na miejsca! — krzyknęła inspicjentka, władczym krokiem przemierzając scenę i regulując częstotliwość w słuchawkach.

— Wszyscy na miejsca! Już!

Na krótką chwilę stanęliśmy jeszcze w grupowym uścisku, a następnie rozeszliśmy się na swoje miejsca. Do mojego pierwszego wejścia miałam jeszcze trochę czasu. Odeszłam więc na bok i zamknąwszy oczy, chłonęłam dźwięki przetaczanych dekoracji, stukot obcasów na drewnianej podłodze, podekscytowane szepty i dochodzące z oddali instrukcje wydawane oświetleniowcom i orkiestrze przez inspicjentkę.

— Połamania nóg, kochanie. — Męski głos przerwał miarowy sceniczny szum. Zmrużyłam oczy, ale w ciemności byłam w stanie rozpoznać sylwetki Ty'a i Elyse, którzy stali zaledwie kilka metrów dalej. Najwyraźniej mnie nie zauważyli.

— Tobie też — odpowiedziała, figlarnie gładząc go po nosie. — Kocham cię.

— Ja bardziej — zaświergotał Ty.

— Nie, ja bardziej! — zaprotestowała Elyse.

— Ja najbardziej — uciął, a Elyse zachichotała.

„Hmm, chyba się pogodzili" — pomyślałam. Jednak to stwierdzenie było pozbawione wszelkiej goryczy i wrogości. Nie miałam nawet czasu nad tym rozmyślać, zabrzmiały bowiem pierwsze takty muzyki i kurtyna uniosła się pośród braw widowni.

Poczułam rozchodzący się po ciele dreszcz podniecenia. Tego nie dało się porównać z niczym innym.

Stephanie Gilmore, która występowała jako Chór, wyszła na scenę i wygłosiła prolog:

Dwa rody, zacne jednako i sławne - tam, gdzie się rzecz ta rozgrywa, w Weronie, do nowej zbrodni pchają złości dawne, plamiąc szlachetną krwią szlachetne dłonie[13].

Uśmiechnęłam się szeroko. Przedstawienie czas zacząć.

To była czysta magia. Tylko tak to można wyjaśnić.

Sztuka, którą uważałam za przeklętą i która ani razu nie poszła dobrze na próbie, okazała się perfekcyjna w każdym calu. Chyba jakaś siła nadprzyrodzona sprawiła, że cała obsada i zespół wzniosły się na wyżyny swoich możliwości. To nie było zwyczajne, nudne szkolne przedstawienie - to była sztuka w najczystszej postaci.

Nawet *mnie* Ty i Elyse zdołali przekonać, że są dla siebie stworzeni.

~

Kiedy przyszedł moment naszego pojedynku, porozumiewawczo mrugnęłam do Evana. Czuliśmy się dziś doskonale na scenie. Od razu złapaliśmy wspólny rytm i w odpowiedniej chwili zaczęliśmy walczyć. W świetle reflektorów poczułam, jak na moją umalowaną twarz występuje pot. Z każdym pchnięciem miecza wydawałam z siebie okrzyk, jakbym była na korcie tenisowym. Nacieraliśmy na siebie wściekle, a ze strony widowni co rusz dawały się posłyszeć mimowolne okrzyki przerażenia. Jeszcze nigdy tak dobrze się nie bawiłam.

[13] Fragment prologu w przekładzie Jana Kasprowicza (przyp. tłum.).

Ale wtedy otrzymałam śmiertelny cios i wszystko się zmieniło.

Mimo iż wcześniej wypowiadałam tę kwestię nieskończoną ilość razy, teraz każde słowo zdawało się mieć podwójne znaczenie.

Znajdziesz mię jutro spokojnym jak trusia.
Już się dla tego świata na nic nie zdam.
Bierz licho wasze domy!

Upadłam na scenę, a po mojej twarzy zaczęły płynąć autentyczne łzy.

One mię dały na strawę robakom;
Będę nią, i to wnet. Kaduk was zabierz!

Zamknęłam oczy i nagle, niczym rozbłysk sztucznych ogni, przyszło olśnienie. Wszystko stało się tak wyraziste. Leżałam tam jak milczący, nieruchomy posąg, a pozostali aktorzy grali już beze mnie. Mojemu umysłowi daleko było jednak do spokoju.

Licho. Nie było na to lepszego określenia. Niech inni nazywają to wirusem, chorobą lub zakażeniem. Niech zwą to jakimkolwiek imieniem, ale oto, czym to naprawdę jest: lichem. Nieuleczalnym, niemającym względu na osobę, bezlitosnym lichem.

Strawą robakom będę, i to wnet.

~

Kurtyna opadła. Widzowie wstali z miejsc i zerwała się burza oklasków. Wszystkie osoby z koła teatralnego rzuciły się wzajemnie sobie gratulować i świętować sukces. Kiedy Andre przecisnął się w końcu przez zachwyconą publikę i wszedł za kulisy, zamilkliśmy, czekając na jego tradycyjną mowę.

— Dziś mam wam tylko jedną rzecz do przekazania — powiedział ze śmiertelną powagą, wyraźnie oddzielając każde słowo. — NICZEGO NIE ZMIENIAJCIE!

Tego nam było trzeba, daliśmy się porwać radości. Ale ja czekałam na przerwę i kiedy tylko nadarzyła się okazja, wymknęłam się zza kulis. Miałam coś ważnego do załatwienia.

Szybko się przebrałam i kiedy wyszłam z garderoby, o mojej roli przypominał już tylko makijaż. „Obym go jeszcze złapała" - myślałam. Po drodze zobaczyłam Evana opierającego się o ścianę. Czekał na mnie.

— O, hej — powiedziałam zaskoczona. Rozejrzałam się, ale byliśmy sami. Reszta osób była jeszcze na scenie. — Dlaczego nie świętujesz z innymi?

— Zobaczyłem, jak się wymykasz. Chciałem się upewnić, czy wszystko w porządku — stwierdził.

Zamrugałam.

— Ale dlaczego? Wyglądałam, jakby coś było nie tak?

Chwilę się zawahał.

— Nie, raczej nie — przyznał. — Ale wiem, że potrafisz skrywać uczucia. Miałem przez chwilę wrażenie, że podczas przedstawienia coś się z tobą stało.

„Jakim cudem udało mu się to wyłapać? Starałam się ani na chwilę nie wyjść z roli, grać do samego końca".

Uważnie przyjrzałam się twarzy Evana. To, co w niej zobaczyłam, przyprawiło mnie o szybsze bicie serca. Szczerość. Empatia. Zrozumienie. Miłość.

Naprawdę byłam dla niego ważna.

— Przyłapałeś mnie — przyznałam. — Tak, miałam taki moment zawieszenia między życiem a śmiercią. Ale przecież to tragedia - trochę melodramatyzmu nie zaszkodzi.

Evan podszedł bliżej. Jego twarz spoważniała. Poczułam, jak mój oddech przyspiesza.

— Chcesz o tym porozmawiać? — zapytał.

— Nie teraz! — Potrząsnęłam głową.

— Wiesz, że tu jestem.

Spojrzałam w jego ciemne, ufne oczy.

— Wiem.

I nagle, zanim zdążyłam się powstrzymać, stanęłam na palcach i go pocałowałam. Zaskoczony w pierwszej chwili nieco się odsunął, ale szybko się zreflektował i przyciągnął mnie, namiętnie odwzajemniając pocałunek.

Smakował glicerynową pomadką do ust i pomarańczowymi cukierkami, a mowa jego ciała nie zdradzała ani krztyny strachu czy zwątpienia.

Nagle otworzyły się drzwi ze sceny, przez które wylał się tłum rozentuzjazmowanych ludzi z kółka teatralnego. Szybko odskoczyliśmy od siebie z Evanem, patrząc na nich i uśmiechając się niewinnie.

— Muszę coś załatwić — powiedziałam przepraszająco. Nie chciałam go zostawiać, ale musiałam się pospieszyć. Może było już nawet za późno. — Czekaj na mnie, dobrze?

— Zawsze — zapewnił mnie.

~

Rozglądając się, przeciskałam się przez zatłoczone foyer. Zauważyłam moich ojców rozmawiających przy stoliku z Roxie i resztą osób z grupy, ale udało mi się ich niepostrzeżenie wyminąć. Za chwilę do nich podejdę. Teraz musiałam znaleźć dyrektora. Zawsze przychodził na premiery, więc musiał się gdzieś tu kręcić. Miałam nadzieję, że jeszcze go złapię, bo jeśli przyjdzie mi czekać aż do poniedziałku, by przedstawić mu swój pomysł, mogę stchórzyć.

Wreszcie go dostrzegłam. Stał w grupie nauczycieli, z kieszeni jego kurtki wystawał zrolowany program.

— Przepraszam, panie dyrektorze — powiedziałam, dotykając jego ramienia. — Czy mogłabym chwilę z panem porozmawiać?

Na jego twarzy pojawiło się zaskoczenie.

— Panna Moore! Tak... oczywiście! Może przejdźmy do mojego gabinetu.

Podążyłam za nim. Pan Fisher otworzył drzwi i gestem zaprosił mnie do środka.

— O co chodzi, panno Moore? — zapytał, nerwowo poprawiając okulary na nosie.

Uśmiechnęłam się. Z całą mocą dotarło do mnie, że ten człowiek śmiertelnie się mnie bał. Pewnie pomyślał, że postanowiłam go jednak pozwać. Powinnam była potrzymać go jeszcze chwilę w dręczącej niepewności, ale chciałam jak najszybciej mieć to z głowy i cieszyć z przedstawienia.

— Mam dla pana propozycję — powiedziałam i objaśniłam mu swój plan.

Dzień po dniu

Zaczęło się już? — zapytał niespokojnie Tata, w pośpiechu wchodząc do salonu obładowany popcornem i napojami.

— Jeszcze nie. Mają puścić o 7:08, więc mamy jeszcze chwilę — powiedziałam. Na widok ogromnej miski z popcornem zrobiłam zdziwioną minę. — Czy aby na pewno pamiętasz, że reklama trwa tylko minutę?

— Tak, ale co mam zrobić, skoro tak się cieszę? Nie codziennie widzę przecież moją córkę w telewizji — stwierdził Tata.

— No właśnie — odezwał się Evan, zanurzając dłoń w misce. — Przy takiej okazji bez popcornu ani rusz — wymamrotał.

— Popieramy! — powiedział Papa. Siedział na ogromnym czerwonym fotelu, huśtając na kolanie małą Violę.

Przewróciłam oczami, ale po cichu cieszyłam się każdą sekundą. Widziałam już tę reklamę i byłam naprawdę dumna z efektu końcowego. Ale Tata, Papa i Evan uparli się, że obejrzą ją dopiero w telewizji - stwierdzili, że największa przyjemność to zobaczyć ją razem z całą resztą kraju. A przynajmniej z tą częścią mieszkańców, którzy co wieczór o siódmej oglądają *Va banque*.

— Pst! — przerwał nam Papa, kiedy zaczęły się reklamy. — Leci!

Nie zwracałam większej uwagi na siebie na ekranie. Przez krótką chwilę przyglądałam się mojej rodzinie, która z zapartym tchem oglądała reklamę. Na ich twarzach malowały się duma i radość.

W ciągu czterech miesięcy od premiery *Romea i Julii* zrozumiałam wreszcie, jaką jestem szczęściarą.

~

Dyrektor Fisher okazał się niezwykle wartościowym sprzymierzeńcem w mojej misji uświadamiania rówieśników. Kiedy w grudniu leżałam na scenie i grałam wykrwawiającego się na śmieć Merkucja, zdałam sobie sprawę, że muszę jakoś zadziałać. Zaraza HIV/AIDS szerzyła się w najlepsze, a mimo to niewiele się o tym mówiło. Przynajmniej nie w ten sam sposób, jak dziesięć czy dwadzieścia lat temu. Spoczęliśmy na laurach. Poświęcanie kilku lekcji z edukacji seksualnej na omawianie statystyk i możliwych dróg zakażenia to najwyraźniej było zbyt mało. W przeciwnym razie Evan nie obawiałby się mojego dotyku, a Elyse wiedziałaby, że nie zarazi się przez pocałunek. Przede wszystkim jednak mnie nie przydarzyłaby się tak smutna historia.Wiedziałam, że istnieje potrzeba prawdziwej edukacji, która pozwoli młodzieży zrozumieć fakt, że HIV/AIDS to prawdziwa epidemia szerząca się w każdej grupie społecznej. Także naszej. Należało zapoczątkować otwartą, żywą dyskusję na ten temat. Wówczas kwestia ta przestanie być postrzegana jako coś nierzeczywistego, upiornego i czysto hipotetycznego, ale jako problem każdego z nas. I wszyscy musimy z nim walczyć – niezależnie od tego, czy jesteśmy nosicielami wirusa, czy nie. A jeśli chodzi o osoby już zakażone, jedynym sposobem na powstrzymanie coraz okrutniejszej dyskryminacji i pochopnych osądów w naszych szkołach, miejscach pracy i rodzinach jest ciągłe prowadzenie akcji edukacyjnej dla społeczeństwa.

Kiedy więc tamtego wieczoru moje martwe ciało spoczęło na scenicznych deskach, zadałam sobie pytanie, co *ja* mogę zrobić. Pomysł przewodniczenia szkolnej pogadance niespecjalnie przypadł mi do gustu. Nie byłam też typem nieustannie tryskającego dobrym humorem szkolnego społecznika, który potrafi przemawiać do ludzi i organizować spotkania koła uczniowskiego. Ale miałam za to inny talent.

Wraz z panem Fisherem podeszliśmy do Andre.

— Lucy przedstawiła mi pewien interesujący pomysł — zaczął pan Fisher — i bardzo mi zależy na czynnym poparciu z pana strony.

Andre przyjrzał mi się podejrzliwie.

— Jaki pomysł?

— Myślę, że tej wiosny powinniśmy wystawić inną sztukę — stwierdziłam.

Andre zarechotał.

— Nie ma mowy — zaoponował, energicznie kręcąc głową. — Na wiosnę zawsze robimy musical. Na tym najwięcej zarabiamy w ciągu roku.

— To prawda. Ale przedyskutowaliśmy to z panem Fisherem i doszliśmy do wniosku, że powinniśmy wystawić coś, co naprawdę wpłynie na życie naszych widzów. A przynajmniej zmusi ich do refleksji.

Wciąż nie wydawał się być przekonany.

Chyba taka jest główna rola teatru, prawda? — zapytałam retorycznie.

— Oczywiście — wymamrotał postawiony pod ścianą Andre. — Właśnie dlatego wybrałem *Dźwięki muzyki*. Czy jest coś, co zmusza do refleksji bardziej niż nazizm?

— *Zwykłe serce* — odparłam bez wahania.

Andre spojrzał na dyrektora Fishera. Widziałam, jak bije się z myślami i z wysiłkiem udało mi się stłumić uśmiech. Mieliśmy go.

— Szkoła zgodzi się na wystawienie *Zwykłego serca*? — zapytał z umiarkowanym optymizmem. *Dźwięki muzyki* natychmiast straciły na znaczeniu.

Pan Fisher przytaknął.

— Lucy była tak miła, że pożyczyła mi egzemplarz tej sztuki. Mimo iż jest tam dość mocne słownictwo, sądzę, że ogólny przekaz jest na tyle ważki, że rada szkoły pozwoli nagiąć zasadę czystości języka. Ale tylko tym razem — zaznaczył, jakby szukając dla siebie usprawiedliwienia.

Andre cały się rozpromienił. Wreszcie mógł wystawić dobrą współczesną sztukę o prawdziwym życiu.

— Chrzanić musical — powiedział z miną spiskowca.

Andre przeprowadził jak zwykle dość niestandardowy casting, dzięki czemu w sztuce zawierającej niemal wyłącznie role męskie, obsadzono także kilka dziewcząt. To jest niezwykle brutalne, ambitne dzieło, które moim zdaniem zawiera w sobie jeszcze więcej tragizmu niż *Romeo i Julia*. Akcja rozgrywa się w Nowym Jorku, na samym początku fali zachorowań na AIDS. Były to czasy, kiedy nie nazwano jeszcze tej tajemniczej choroby, która wśród homoseksualnych mężczyzn zbierała śmiertelne żniwo. I właśnie ta sztuka poruszała kwestie, które uważałam za warte przemyślenia.

Aktorzy naprawdę dawali z siebie wszystko i, jak na razie, próby wypadały świetnie. Każdego dnia dziękowałam swojej szczęśliwej gwieździe - za to, że mogę żyć w społeczności, która pozwoliła nam wystawić *Zwykłe serce*, oraz za to, że dyrekcja w nas uwierzyła.

Obsada była mniejsza niż w przypadku *Romea i Julii*, ale były w niej wszystkie najważniejsze dla mnie osoby: Evan, Max, Courtney, Ty i Elyse. Początkowo przerażała mnie myśl o wspólnej pracy nad tym tematem. Przecież tylu z nich wiedziało, przez co przechodzę i jak bliskie są mi te kwestie. Ale sądzę, że właśnie dzięki temu włożyli w swoje role jeszcze więcej serca i wysiłku, jakby postanowili, że nie mogą mnie zawieść.

O ile wiem, Elyse nie zdradziła mojej tajemnicy Ty'owi. Byłam pod wrażeniem, zwłaszcza że sztuka traktowała o AIDS, w związku z czym miała aż nadto okazji do „przypadkowego" wypaplania mojego sekretu. Ale zdaje się, że dotrzymała słowa. Jak dotąd. Może i nigdy nie zaprzyjaźnię się z tą dziewczyną, ale przynajmniej nie pałamy już do siebie taką nienawiścią.

No i udało nam się wypracować nieco więcej wzajemnej tolerancji. Uważam to za znaczny postęp.

Reklama się skończyła i nagle moi bliscy wyrwali mnie z zamyślenia, zasypując gradem pocałunków i uścisków. Cała promieniałam. Dokonałam tego - wreszcie oficjalnie stałam się zawodową aktorką. A to, muszę przyznać, było miłe uczucie.

Nagle rozdzwoniła się moja komórka. Przez dłuższą chwilę zajęta byłam odpowiadaniem na telefony i SMS-y od rozentuzjazmowanych Maxa i Courtney, którzy nie mogli się nachwalić reklamy, mimo iż widzieli ją już wcześniej. Z kolei do ojców zaczęli dzwonić moi dziadkowie i znajomi z pracy. Tata i Papa, pękając z dumy, wdali się w dłuższą pogawędkę. A ja wzięłam Violę na ręce i wraz z Evanem usiedliśmy na werandzie, gdzie, otuleni ciepłym kwietniowym powietrzem, mogliśmy rozkoszować się widokiem rozkwitających drzew.

— Jesteś gwiazdą — Evan wymruczał mi czule do ucha. Odwróciłam się w jego stronę i w odpowiedzi namiętnie go pocałowałam.

— Kocham cię — szepnęłam, muskając jego usta. Wciąż miałam zamknięte oczy, ale poczułam, jak się uśmiecha.

Nadal nie zdecydowaliśmy się pójść łóżka, ale nie spieszyło nam się. Seks wiele komplikował, zwłaszcza w naszym przypadku. Kiedy badanie potwierdziło, że Evan się ode mnie nie zaraził, nieszczególnie nam się paliło, żeby ponownie przechodzić przez ten stres. Na razie więc pozwoliliśmy, żeby sprawy toczyły się własnym, niespiesznym rytmem, a sami nie narzekaliśmy na ten stan rzeczy.

Położyłam głowę na ramieniu Evana i poprawiłam w ramionach moją śpiącą siostrzyczkę. Nie widziałam spokojniejszego i weselszego bobasa od niej. Nie mogłam się powstrzymać od myśli, że chyba wiedziała, czego udało jej się uniknąć.

Zgodnie z planem Lisa została z nami do rozwiązania. Po tym jak Papa urządził jej areszt domowy, nie mieliśmy najmniejszych wątpliwości, że wyprowadzi się od nas tuż po porodzie. Tego, że zrobi to w pojedynkę, zostawiając nam dziecko - ja przynajmniej - nie przewidziałam. Ojcowie powiedzieli mi potem, że przez moment rozważali taką opcję. Lampka ostrzegawcza zapaliła im się, kiedy Lisa niespodziewanie poprosiła mnie o wymyślenie imienia.

Nie wiem, jak w tej cudownej, zdrowej kruszynce Lisa mogła dostrzec cokolwiek innego poza doskonałością. Ona jednak tylko na nią zerknęła i kompletnie stchórzyła - dokładnie tak, jak zrobiła to w moim przypadku. W końcu zrozumiałam, że z nas dwojga to nie ja jestem nie dość dobra, ale ona. Lisa nigdy nie będzie matką i dobrze o tym wiedziała.

Wiele o tym myślałam i doszłam do wniosku, że Lisa chciała po prostu mieć kogoś, kto by ją pokochał. Jednak kiedy jej uzależnienie od narkotyków i brak jakiejkolwiek empatii to uniemożliwiły, postanowiła, że urodzi dziecko. Założyła sobie po prostu, że ono ją pokocha. Bezwarunkowo. Kto wie, może by się tak nawet stało. Ale zmienną w tym równaniu była Lisa. Po porodzie okazało się, że ona po prostu nie potrafiłaby odwzajemnić miłości.

W tej sytuacji Tata i Papa postanowili zaadoptować małą, a ja wymyśliłam dla niej imię. Viola Freeman-Moore. Od jej urodzenia minął zaledwie miesiąc, a my nie byliśmy w stanie wyobrazić sobie życia bez niej.

~

Po kolacji odprowadziłam Evana do samochodu.

— Zadzwonię później — obiecał, całując mnie na pożegnanie.

Kiedy za rogiem zniknęły światła jego auta, spojrzałam na trzymaną w dłoni kopertę. Pod znaczkiem widniał adres: Lee Harrison, Spring Street 177, m. 5B, Nowy Jork, NY 10012.

W środku była jaskraworóżowa ulotka - terminarz spotkań z Roxie. Wrzuciłam ją do skrzynki pocztowej.

Może Lee kiedyś się pojawi, a może nigdy tego nie zrobi. A jeśli przyjdzie, jesteśmy tam, żeby mu pomóc. Bo w ostatecznym rozrachunku życie naprawdę nie jest takie złe.

W tym równaniu wynik był zdecydowanie dodatni.

Podziękowania

Kiedy byłam nastolatką, podobnie jak Lucy marzyłam, że pewnego dnia będę miała okazję wygłosić podziękowania, trzymając w ręku nagrodę teatralną Tony. Śmiejąc się i płacząc, dziękowałabym wszystkim, którzy przyczynili się do mojego sukcesu. A oto moja mowa: literackie podziękowania Tony. Postaram się jak najzwięźlej. Potem może rozbrzmieć muzyka.

Przede wszystkim dziękuję mojej wspaniałej agentce Kate McKean – dziękuję Ci za to, że dałaś mi szansę i uwierzyłaś w sukces historii Lucy równie mocno jak ja. Bez Ciebie nie byłoby mnie tutaj.

Dziękuję absolutnie niesamowitemu zespołowi Sourcebooks Fire – mojej cudownej redakcji: Leah Hultenschmidt, Aubrey Poole i Kimberly Manley. Jestem ogromnie wdzięczna za przeczytanie tej historii, pokochanie jej; dziękuję za waszą determinację, by pokazać ją światu. Katie Casper, dziękuję, że włożyłaś tyle pracy w stworzenie przepięknej okładki.

Dziękuję moim przyjaciołom, Colleen i Michaelowi – nadal czekam na obiecane wspomnienia. Do roboty, moi drodzy.

Mojej rodzinie: Susan Verdi-Miller, Jimowi Verdi i Robertowi Verdi – dziękuję Wam za to, że przez całe życie kochaliście mnie i wspieraliście, nawet wówczas, gdy traciłam grunt pod nogami.

Dziękuję Paulowi Bauschowi – jesteś absolutnie najlepszym, najgenialniejszym i najbardziej niesamowitym mężem na świecie. Cóż jeszcze dodać? Kocham Cię.

Podziękowania dla uczestników i prowadzących kurs pisania dla dzieci na uniwersytecie The New School w 2012 roku: Alyson, Amber, Caela, Jane, Kevina, Riddhi i Sony – jesteście najlepsi. Wielkie dzięki moim czytelniczkom „wersji beta", Dhonielle Clayton, Corey Ann Haydu i Mary G. Thompson – dziewczyny, wymiatacie. Mojemu nauczycielowi kreatywnego pisania, Torowi Seidlerowi, dziękuję za to, że nieustanie motywował mnie do dokończenia tej książki.

Wreszcie chciałabym podziękować Amy Ewing. Chociaż samo słowo „dziękuję" tu nie wystarczy. Bez Ciebie nie byłoby tej ani żadnej innej z moich książek. Jesteś moją przyjaciółką, głosem krytyki, moją cheerleaderką i wierną towarzyszką seansów Pamiętników wampirów przy lampce wina. Nie mogłabym wymarzyć sobie lepszej przyjaciółki. Mam niesamowite szczęście, że Cię spotkałam.

O Autorce

Jessica Verdi mieszka na Brooklynie, w Nowym Jorku. Dyplom magistra sztuk pięknych w dziedzinie literatury dziecięcej obroniła na uniwersytecie The New School. Do jej ulubionych zajęć należy śpiewanie piosenek z musicali (ku wielkiej rozpaczy męża), oglądanie tandetnych programów telewizyjnych oraz wyszukiwanie obuwniczych perełek z tworzyw sztucznych w rozmiarze 38. Nieustannie próbuje znaleźć ujście dla swojego niesamowitego talentu zapamiętywania zarówno tekstów piosenek, jak i zawiłości świata wampirów. Jessica tweetuje na @jessverdi.